ORDENACIÓN GENERAL DEL MISAL ROMANO

INSTITUTIO GENERALIS MISSALIS ROMANI

Tercera edición típica

Incluyendo las adaptaciones para las diócesis de los Estados Unidos de América

Edición provisional para estudiar

Impreso en los Estados Unidos de América.

13 12 11 10 09   10 9 8 7 6

Número de catálogo en la Biblioteca del Congreso: 2003109062

ISBN 978-1-56854-512-7
SGDOC

Índice

Presentación

Las reformas litúrgicas del Concilio Ecuménico Vaticano II han disfrutado de mucho éxito sobre todo en el campo litúrgico. La Constitución sobre la Sagrada Liturgia (*Sacrosanctum Concilium*) insiste que "en la revisión de los libros litúrgicos, téngase muy en cuenta que en las rubricas esté prevista también la participación de los fieles" (n. 31). Esta participación "plena, consciente y activa" (n. 14) en las celebraciones litúrgicas puede verse por excelencia en la celebración del Sacrificio salvífico de Cristo, la Eucaristía.

Los primeros pasos de la reforma de la Santa Misa después del Concilio Ecuménico Vaticano II fueron marcados por la Constitución Apostólica del Papa Pablo VI, *Missale Romanum* en 1969. Rápidamente apareció después de ésta, una revisión del Ordinario de la Misa (*Ordo Missae*) en 1970, incluyendo la primera edición de la *Institutio Generalis Missalis Romani*, también en 1970. Ésta describió la forma para el nuevo Ordinario de la Misa. Fue modificada en 1972 y aún más, como parte de la *editio typica altera* del *Missale Romanum*, el 27 de marzo de 1975.

Después de muchos años de preparación, la publicación de la *editio typica tertia* del *Missale Romanum* fue autorizada por el Papa Juan Pablo II durante el curso del año 2000, el Jubileo de nuestra Redención. Con el permiso del comité de Liturgia de la Conferencia de Obispos Católicos de los Estados Unidos y en colaboración con su equivalente en México, miembros del equipo de Liturgy Training Publications han colaborado en una traducción provisional de la *Institutio Generalis Missalis Romani* en español. Ya que la traducción en inglés de la *Institutio Generalis Missalis Romani* ha sido aprobada por la Sede Apostólica y la Conferencia de Obispos Católicos de los Estados Unidos de América para las diócesis de los Estados Unidos de América, es importante que todos los de habla española tengan la misma oportunidad de estudiarla en su lengua nativa.

Asimismo, tengo el gran placer de ofrecerles esta edición de estudio, impresa por Liturgy Training Publications. La traducción es provisional y tendrá que ser sometida tanto a la Conferencia de Obispos Católicos de los Estados Unidos de América, así como a la Congregación para el Culto Divino y Disciplina de los Sacramentos en la Sede Apostólica para su aprobación definitiva.

La nueva *Institutio Generalis Missalis Romani* juega un papel único entre los otros documentos de la liturgia. Como sus versiones anteriores, ha sido publicada para dar vida a un sueño. Fue el sueño de reformadores como San Hipólito, San Gregorio y San Leo. Fue el sueño del Papa Pablo VI y queda claramente la visión del Papa Juan Pablo II quien nos llama "a una comprensión aún más profunda de la liturgia de la Iglesia, celebrada según los libros actuales y vivida ante todo como una realidad en la orden espiritual" (*Vicesimus Quintus Annus,* 1988, n. 14). Semejantemente, es el sueño compartido por el comité de Liturgia de la Conferencia de Obispos Católicos de los Estados Unidos y de toda la Conferencia de Obispos Católicos de los Estados Unidos de América que el comité sirve. Finalmente, es la visión de la Iglesia misma, el sueño del Pueblo de Dios unido a Cristo en el bautismo—"un pueblo, santo ya originariamente, que crece de continuo en santidad por la participación consciente, activa y fructuosa en el misterio eucarístico" (*Institutio Generalis Missalis Romani,* n. 5).

Sin embargo, mientras este proceso se adelanta, espero que esta traducción provisional servirá para ayudar a obispos, sacerdotes, diáconos, liturgistas, músicos, artistas, comisiones diocesanas, comités litúrgicos parroquiales y a los fieles en general a comprender lo que propone la *Institutio Generalis Missalis Romani* en cuanto a la celebración de los sagrados misterios en la Santa Misa.

Que Dios continúe bendiciéndonos a todos mientras tratamos de servirle en este mundo para regocijarnos con Él en su banquete celestial.

Rev. Msgr. James P. Moroney
Director Ejecutivo
Secretariado para la Liturgia
Conferencia de Obispos Católicos
Estados Unidos de América

ORDENACIÓN GENERAL DEL MISAL ROMANO

Proemio

1. Cristo el Señor, cuando iba a celebrar con los discípulos la cena pascual, en la que instituyó el sacrificio de su Cuerpo y de su Sangre, mandó que se preparara un cenáculo grande, una sala ya dispuesta (Lc 22, 12). La Iglesia se ha considerado siempre comprometida en este mandato, al ir estableciendo normas para la celebración de la santísima Eucaristía relativas a la disposición de las personas, de los lugares, de los ritos y de los textos. Tanto las normas actuales, que han sido promulgadas basándose en la voluntad del Concilio Ecuménico Vaticano II, como el nuevo Misal que en adelante empleará la Iglesia del Rito romano para la celebración de la Misa, constituyen una nueva demostración de este interés de la Iglesia, de su fe y de su amor inalterado al sublime misterio eucarístico, y testifican su tradición continua y homogénea, si bien han sido introducidas ciertas novedades.

Testimonio de fe inalterada

2. El Concilio Vaticano II ha vuelto a afirmar la naturaleza sacrificial de la Misa, solemnemente proclamada por el Concilio de Trento en consonancia con la tradición universal de la Iglesia[1]. Suyas son estas significativas palabras acerca de la Misa: "Nuestro Salvador, en la última Cena, instituyó el sacrificio eucarístico de su Cuerpo y de su Sangre, con el cual iba a perpetuar por los siglos, hasta su vuelta, el sacrificio de la cruz y a confiar así a su amada esposa, la Iglesia, el memorial de su muerte y resurrección"[2].

En las fórmulas de la Misa se expresa de manera condensada esta doctrina del Concilio. Así lo que ponen de relieve las palabras del antiguo Sacramentario Leoniano: "cuantas veces se celebra el memorial de este sacrificio, se realiza la obra de nuestra redención"[3], se ve expresado acertada y exactamente en las Plegarias eucarísticas; en éstas, el sacerdote, al hacer la anámnesis, se dirige a Dios en nombre también de todo el pueblo, le da gracias y ofrece el sacrificio vivo y santo, es decir, la ofrenda de la Iglesia y la hostia, por cuya inmolación el mismo Dios quiso devolvernos su amistad[4], y pide que el Cuerpo y Sangre de Cristo sean sacrificio agradable al Padre y salvación para el mundo entero[5].

De este modo, en el nuevo Misal, la *lex orandi* de la Iglesia responde a su perenne *lex credendi,* que nos recuerda que, excepción hecha del modo diverso de ofrecer, constituye una misma y única realidad: el sacrificio de la cruz y su renovación sacramental en la Misa, instituida por Cristo el Señor en la última Cena con el mandato conferido a los Apóstoles de celebrarla en conmemoración de él; y que consiguientemente, la Misa es al mismo tiempo sacrificio de alabanza, de acción de gracias, propiciatorio y satisfactorio.

3. El misterio admirable de la presencia real de Cristo bajo las especies eucarísticas, reafirmado por el Concilio Vaticano II[6] y otros documentos del Magisterio de la Iglesia[7] en el mismo sentido y con la misma autoridad con que el Concilio de Trento lo declaró materia de fe[8], se ve expresado también en la celebración de la Misa no sólo por las palabras mismas de la consagración que hacen presente a Cristo por la transubstanciación, sino que además por los signos de suma reverencia y adoración que tienen lugar en la liturgia eucarística. Tal es el motivo de impulsar al pueblo cristiano a que ofrezca especial tributo de adoración a este admirable Sacramento en el día de Jueves Santo y en la Solemnidad del Cuerpo y Sangre de Cristo.

4. La naturaleza del sacerdocio ministerial, propio del obispo y del presbítero los cuales en la persona de Cristo ofrecen el sacrificio y presiden la asamblea del pueblo santo, se echa de ver en la disposición del mismo rito por la preeminencia del lugar reservado al sacerdote y por la función que desempeña. El contenido de esta función se ve expresado con particular lucidez y amplitud en el Prefacio de la Misa crismal del Jueves Santo, día en que se conmemora la institución del sacerdocio. En dicho Prefacio se

declara la transmisión de la potestad sacerdotal por la imposición de las manos, enumerándose cada uno de los cometidos de esta potestad que es continuación de la de Cristo, Sumo Pontífice del Nuevo Testamento.

5. Esta naturaleza del sacerdocio ministerial ayuda también a comprender y valorar altamente el sacerdocio real de los fieles, cuya ofrenda espiritual es consumada en la unión con el sacrificio de Cristo, único Mediador, por el ministerio de los obispos y de los presbíteros[9]. La celebración eucarística es acción de toda la Iglesia, y en ella habrá de realizar cada uno todo y sólo lo que de hecho le compete conforme al lugar en que se encuentra situado dentro del pueblo de Dios. De aquí la necesidad de prestar una particular atención a determinados aspectos de la celebración que, en el decurso de los siglos no han sido tenidos muy en cuenta. Se trata nada menos que del pueblo de Dios, adquirido por la sangre de Cristo, congregado por el Señor, alimentado con su Palabra; pueblo que ha recibido el llamamiento de encauzar hasta Dios todas las peticiones de la familia humana; pueblo que, en Cristo, da gracias por el misterio de la salvación ofreciendo su sacrificio; pueblo en fin que por la comunión de su Cuerpo y Sangre se consolida en la unidad. Y este pueblo, santo ya originariamente, crece de continuo en santidad por la participación consciente, activa y fructuosa en el misterio eucarístico[10].

Tradición ininterrumpida

6. Al establecer las normas a seguir en la revisión del Ordo Missae, el Concilio Vaticano II determinó, entre otras cosas, que algunos ritos "fueran restablecidos conforme a la primitiva norma de los Santos Padres"[11], haciendo uso de las mismas palabras empleadas por san Pío V en la Constitución Apostólica *Quo primum,* al promulgar en 1570 el Misal Tridentino. El que ambos misales romanos convengan en las mismas palabras, puede ayudar a comprender cómo, pese a mediar entre ellos una distancia de cuatro siglos, ambos recogen una misma e idéntica tradición. Y si se analiza el contenido interior de esta tradición, se ve también hasta qué punto el nuevo Misal completa al anterior.

7. En aquellos momentos difíciles, en que se ponía en crisis la fe católica acerca de la naturaleza sacrificial de la Misa, del sacerdocio ministerial y de la presencia real y permanente de Cristo bajo las especies eucarísticas, lo que San Pío V se propuso en primer

término fue salvaguardar una tradición relativamente reciente atacada sin verdadera razón y, por este motivo, sólo se introdujeron pequeñísimos cambios en el rito sagrado. En realidad, el Misal promulgado en 1570 apenas se diferencia del primer Misal que apareció impreso en 1474, el cual, a su vez, reproduce fielmente el Misal de la época de Inocencio III. Además los Códices de la Biblioteca Vaticana, aunque sirvieron para corregir algunas expresiones, sin embargo no permitieron que en la investigación de "antiguos y probados autores" se fuera más allá de los comentarios litúrgicos de la Edad media.

8. Hoy, en cambio, la "norma de los Santos Padres" que trataron de seguir los que aportaron las enmiendas del Misal de San Pío V, se ha visto enriquecida con numerosísimos trabajos de investigación. Al Sacramentario Gregoriano, editado por primera vez en 1571, han seguido los antiguos Sacramentarios romanos y ambrosianos, repetidas veces editados con sentido crítico, así como los antiguos libros litúrgicos hispanos y galicanos, que han aportado muchísimas oraciones de gran belleza espiritual ignoradas anteriormente.

Hoy, tras el hallazgo de tantos documentos litúrgicos, incluso se conocen mejor las tradiciones de los primitivos siglos, anteriores a la constitución de los Ritos de Oriente y de Occidente.

Además, con los progresivos estudios de la Patrología, la teología del misterio eucarístico ha recibido nuevos esclarecimientos provenientes de la doctrina de los más ilustres Padres de la antigüedad cristiana, como San Ireneo, San Ambrosio, San Cirilo de Jerusalén, San Juan Crisóstomo.

9. Por tanto, la "norma de los Santos Padres" pide algo más que la conservación del legado trasmitido por los que nos precedieron; exige abarcar y estudiar a fondo todo el pasado de la Iglesia y todas las formas de expresión que la fe única ha tenido en contextos humanos y culturales tan diferentes entre sí, como pueden ser los correspondientes a las regiones semíticas, griegas y latinas. Con esta perspectiva más amplia, hoy podemos ver cómo el Espíritu Santo suscita en el pueblo de Dios una fidelidad admirable en conservar inmutable el depósito de la fe en medio de tanta variedad de ritos y oraciones.

Acomodación a las nuevas circunstancias

10. El nuevo Misal, que testifica la *lex orandi* de la Iglesia Romana y conserva el depósito de la fe trasmitido en los últimos Concilios, supone al mismo tiempo un paso importantísimo en la tradición litúrgica.

Es verdad que los Padres del Concilio Vaticano II reiteraron las definiciones dogmáticas del Concilio de Trento; pero les correspondió hablar en un momento histórico muy distinto, y por ello pudieron aportar sugerencias y orientaciones pastorales totalmente imprevisibles hace cuatro siglos.

11. El Concilio de Trento ya había caído en la cuenta de la utilidad del gran caudal catequético de la Misa; pero no le fue posible descender a todas las consecuencias vitales que se derivaban en la práctica. De hecho, muchos deseaban ya entonces que se permitiera emplear la lengua del pueblo en la celebración eucarística. Pero el Concilio, teniendo en cuenta las circunstancias que concurrían en aquellos momentos, se creyó en la obligación de volver a inculcar la doctrina tradicional de la Iglesia, según la cual el sacrificio eucarístico es, ante todo, acción de Cristo mismo, y por tanto, su eficacia intrínseca no se ve afectada por el modo de participar seguido por los fieles. En consecuencia, se expresó de modo firme y moderado con estas palabras: "Aunque la Misa contiene mucha materia de instrucción para el pueblo, sin embargo, no pareció conveniente a los Padres que en todas partes sea celebrada en lengua vulgar"[12]. Condenó, además, al que juzgase "ser reprobable el rito de la Iglesia Romana por el que la parte correspondiente al canon y las palabras de la consagración son pronunciadas en voz baja; o que la Misa exija ser celebrada solamente en lengua vulgar"[13]. Y, no obstante, si por un motivo prohibía el uso de la lengua vernácula en la Misa, por otro, en cambio, mandaba que los pastores de almas procurasen suplir con la oportuna catequesis: "A fin de que las ovejas de Cristo no padezcan hambre . . . manda el santo Sínodo a los pastores y a cuantos tienen cura de almas, que frecuentemente en la celebración de la Misa, bien por sí mismos, bien por medio de otros, hagan una exposición sobre algo de lo que en la Misa se lee, y, además, declaren alguno de los misterios de este santísimo sacrificio, principalmente en los domingos y días festivos"[14].

12. Congregado precisamente para la adaptación de la Iglesia a las necesidades que su cometido apostólico encuentra en estos

tiempos, el Concilio Vaticano II, lo mismo que el de Trento, prestó fundamental atención al carácter didáctico y pastoral de la Sagrada Liturgia[15]. No hay ahora católicos que nieguen la legitimidad y eficacia del sagrado rito celebrado en latín, y por ello, se encontró en condiciones de reconocer que "frecuentemente el empleo de la lengua vernácula puede ser de gran utilidad para el pueblo", autorizando dicho empleo[16]. El interés con que en todas partes se acogió esta determinación fue muy grande, y así, bajo la dirección de los obispos y de la misma Sede Apostólica, ha podido llegarse a que se tengan en lengua vernácula todas las celebraciones litúrgicas en las que el pueblo participa, con el consiguiente conocimiento mayor del misterio celebrado.

13. Aunque de suma importancia, el uso de la lengua vernácula en la Liturgia no es el único instrumento para expresar más abiertamente la catequesis del misterio contenida en la celebración, y por esta razón, el Concilio Vaticano II advirtió también que debían ponerse en ejecución algunas prescripciones del Tridentino, no en todas partes acatadas, como la homilía en los domingos y días festivos[17] y la facultad de intercalar moniciones entre los mismos ritos sagrados[18].

Con mayor interés aún, el Concilio Vaticano II, consecuente con presentar como "el modo más perfecto de participación aquel en que los fieles, después de la comunión del sacerdote, reciben el Cuerpo del Señor consagrado en la misma Misa"[19], exhorta a llevar a la práctica otro deseo formulado por los Padres del Tridentino: "que para participar de un modo más pleno en la Misa no se contenten los fieles con comulgar espiritualmente, sino que reciban sacramentalmente la comunión eucarística"[20].

14. Movido por el mismo espíritu y del mismo interés pastoral del Tridentino, el Concilio Vaticano II pudo abordar desde un punto de vista distinto lo establecido por aquél acerca de la comunión bajo las dos especies. Al no haber hoy quien ponga en duda los principios doctrinales del valor pleno de la comunión eucarística recibida bajo la sola especie de pan, permitió la comunión bajo ambas especies, siempre que por esta más clara manifestación del signo sacramental los fieles tengan ocasión de captar mejor el misterio en el que participan[21].

15. La Iglesia, que conservando lo antiguo, es decir, el depósito de la tradición, permanece fiel a su misión de ser maestra de la

verdad, cumple también con su deber de examinar y emplear prudentemente "lo nuevo" (cf. Mt 13, 52).

Así, cierta parte del Misal presenta unas oraciones de la Iglesia más abiertamente orientadas a las necesidades actuales; tales son, principalmente, las Misas rituales y las Misas para diversas necesidades, en las que oportunamente se combinan lo tradicional y lo nuevo. Mientras que algunas expresiones, provenientes de la más antigua tradición de la Iglesia, han permanecido intactas, como puede verse por el mismo Misal Romano, reeditado tantas veces, otras muchas han sido acomodadas a las actuales necesidades y circunstancias; y otras, como las oraciones por la Iglesia, por los seglares, por la santificación del trabajo del hombre, por la comunidad de naciones, por algunas necesidades peculiares de nuestro tiempo, han sido elaboradas íntegramente, tomando las ideas y muchas veces aun las expresiones de los documentos conciliares recientes.

Al hacer uso de los textos de una tradición antiquísima, con la mira puesta en la nueva situación del mundo, según hoy se presenta, se han podido cambiar ciertas expresiones, sin que aparezca como injuria a tan venerable tesoro, con el fin de acomodarlas al lenguaje teológico actual y a la presente disciplina de la Iglesia; por ejemplo: algunas de las relativas a la apreciación y el uso de los bienes terrenos u otras que se refieren a formas de penitencia corporal, propias de otros tiempos.

Se ve, pues, cómo las normas litúrgicas del Concilio de Trento han sido en gran parte completadas y perfeccionadas por las del Vaticano II, que condujo a término los esfuerzos por acercar a los fieles más a la Liturgia realizados a lo largo de cuatro siglos, y sobre todo en los últimos tiempos, debido principalmente al interés que por la Liturgia suscitaron San Pío X y sus sucesores.

CAPÍTULO I
Importancia y dignidad de la celebración eucarística

16. La celebración de la Misa, como acción de Cristo y del pueblo de Dios, ordenado jerárquicamente, es el centro de toda la vida cristiana para la Iglesia universal y local, y para todos los fieles individualmente[22]. Pues en ella se culmina la acción con que Dios santifica en Cristo al mundo, y el culto que los hombres tributan al Padre, adorándolo por medio de Cristo, Hijo de Dios en el Espíritu Santo[23]. Además, se recuerdan de tal modo en ella, a lo largo

del año, los misterios de la Redención que, en cierto modo, éstos se nos hacen presentes[24]. Todas las demás acciones sagradas y cualesquiera obras de la vida cristiana, se relacionan con ésta, proceden de ella y a ella se ordenan[25].

17. Es, por consiguiente, de sumo interés que de tal modo se ordene la celebración de la Misa o Cena del Señor, que ministros y fieles, participando cada uno a su manera, saquen de ella con más plenitud los frutos[26] para cuya consecución instituyó Cristo Nuestro Señor el sacrificio eucarístico de su Cuerpo y Sangre y confió este sacrificio, como un memorial de su Pasión y Resurrección, a la Iglesia, su amada Esposa[27].

18. Todo esto se podrá conseguir si, mirando a la naturaleza y demás circunstancias de cada asamblea, toda la celebración se dispone de modo que favorezca la consciente, activa y plena participación de los fieles, es decir, esa participación de cuerpo y alma, ferviente de fe, esperanza y caridad, que es la que la Iglesia desea de ella, la que reclama la naturaleza misma de la celebración, y a la que tiene derecho y deber, por fuerza de su bautismo, el pueblo cristiano[28].

19. Aunque en algunas ocasiones no es posible la presencia y la activa participación de los fieles, cosas ambas que manifiestan mejor que ninguna otra la naturaleza eclesial de la acción litúrgica[29], sin embargo la celebración eucarística no pierde por ello su eficacia y dignidad, ya que es un acto de Cristo y de la Iglesia, en la que el sacerdote ejerce su ministerio principal y obra siempre por la salvación del pueblo.

Por eso se recomienda al sacerdote que celebre el sacrificio eucarístico todos los días, según su posibilidad[30].

20. Y puesto que la celebración eucarística, como toda la Liturgia, se realiza por signos sensibles, con los que la fe se alimenta, se robustece y se expresa[31], se debe poner todo el esmero posible para que sean seleccionadas y ordenadas las formas y elementos que la Iglesia propone, que, según las circunstancias de personas y lugares, favorezcan más directamente la activa y plena participación de los fieles, y respondan mejor a su aprovechamiento espiritual.

21. De ahí que esta Ordenación General procure, por una parte, exponer las directrices generales, según las cuales quede bien ordenada la celebración de la Eucaristía, y, por otra parte, propone

las normas a las que deberá acomodarse cada una de las formas de celebración[32].

22. La celebración de la Eucaristía en la Iglesia particular es de suma importancia.

En efecto, el obispo diocesano, el primer administrador de los misterios de Dios en la Iglesia particular a él encomendada, es moderador, promotor y guardián de toda la vida litúrgica[33]. En las celebraciones que se realizan bajo su presidencia, sobre todo en la celebración eucarística llevada a cabo por él, con la participación del presbiterio, de los diáconos y del pueblo, se manifiesta el misterio de la Iglesia. Por tal motivo estas Misas solemnes deben ser ejemplo para la diócesis entera.

Él debe procurar que los presbíteros, los diáconos y los fieles laicos, comprendan siempre cabalmente el auténtico significado de los ritos y de los textos litúrgicos y así sean llevados a una activa y fructuosa celebración de la Eucaristía. En vistas a este fin, es necesario velar por aumentar la dignidad de las celebraciones mismas, a la cual contribuye muchísimo la belleza del lugar sagrado, de la música y del arte.

23. Además, para que la celebración responda más plenamente a las normas y al espíritu de la sagrada Liturgia, y para que aumente su eficacia pastoral, se exponen, en esta Ordenación general y en el Ordinario de la Misa, algunas acomodaciones y adaptaciones.

24. Estas adaptaciones, consisten sobre todo en la elección de los ritos o textos, es decir, de los cantos, lecturas, oraciones, moniciones y expresiones corporales, que sean más conformes con las necesidades, la preparación y la mentalidad de los participantes. Esta elección se confía al sacerdote celebrante. Sin embargo, el sacerdote debe tener presente que él es servidor de la sagrada Liturgia, y que no le es lícito añadir, quitar o cambiar algo arbitrariamente en la celebración de la Misa[34].

25. Además, en el Misal, se indican algunas adaptaciones que, según la *Constitución sobre la Sagrada Liturgia,* competen respectivamente o al Obispo diocesano o a la Conferencia de los Obispos (cf. nn. 387, 388–393)[35].

26. En cuanto a la introducción, según la utilidad o la necesidad y en conformidad con el n. 40 de la *Constitución sobre la Sagrada Liturgia,* de las modificaciones y adaptaciones más profundas, que

tengan en cuenta las tradiciones y mentalidad de los pueblos y de las regiones, obsérvense las normas expuestas en la Instrucción "La Liturgia romana y la inculturación"[36] y en los nn. 395–399 del presente documento.

CAPÍTULO II
Estructura, elementos y partes de la Misa

I. ESTRUCTURA GENERAL DE LA MISA

27. En la Misa o Cena del Señor, el pueblo de Dios es convocado bajo la presidencia del sacerdote, que representa a la persona de Cristo, para celebrar el memorial del Señor o sacrificio eucarístico[37]. De ahí que sea eminentemente válida para esta asamblea local de la santa Iglesia, aquella promesa de Cristo: "Donde están reunidos dos o tres en mi nombre, allí estoy yo en medio de ellos" (Mt 18, 20). Pues en la celebración de la Misa, en la cual se continúa el sacrificio de la cruz[38], Cristo está realmente presente en la misma asamblea congregada en su nombre, en la persona del ministro, en su palabra y, con toda verdad, de una manera sustancial y permanente, bajo las especies eucarísticas[39].

28. La Misa consta en cierto sentido de dos partes: la Liturgia de la Palabra y la Liturgia eucarística, tan estrechamente unidas entre sí, que constituyen un solo acto de culto[40], ya que en la Misa se dispone la mesa, tanto de la Palabra de Dios como del Cuerpo de Cristo en la que los fieles encuentran el mensaje y el alimento cristiano[41]. Otros ritos pertenecen a la apertura y conclusión de la celebración.

II. DIVERSOS ELEMENTOS DE LA MISA

Lectura de la Palabra de Dios y su explicación

29. Cuando se leen en la Iglesia las Sagradas Escrituras es Dios mismo quien habla a su pueblo, y Cristo, presente en su Palabra, quien anuncia la Buena nueva.

Por eso las lecturas de la Palabra de Dios que proporcionan a la Liturgia un elemento de grandísima importancia, deben ser escuchadas por todos con veneración. Y aunque la palabra divina, en las lecturas de la Sagrada Escritura, va dirigida a todos los hombres de todos los tiempos y está al alcance de su entendimiento, sin embargo, su eficacia aumenta con una explicación viva, es decir, con la homilía, que viene así a ser parte de la acción litúrgica[42].

Oraciones y partes que corresponden al sacerdote

30. Entre las atribuciones del sacerdote ocupa el primer lugar la Plegaria eucarística, que es el culmen de toda la celebración. Se añaden a ésta otras oraciones, es decir, la Oración colecta, la Oración sobre las ofrendas y la Oración después de la comunión. Estas oraciones las dirige a Dios el sacerdote—que preside la asamblea representando a Cristo—en nombre de todo el pueblo santo y de todos los circunstantes[43]. Con razón pues, se denominan "oraciones presidenciales".

31. Igualmente toca al sacerdote que ejercita el cargo de presidente de la asamblea reunida, hacer algunas moniciones previstas en el rito mismo. En los momentos establecidos por las rúbricas, es lícito que el celebrante adapte un poco las moniciones para que respondan mejor a la capacidad de los participantes; sin embargo, el sacerdote procure siempre conservar y expresar con pocas palabras el sentido de la monición que viene propuesto en el Misal. Toca así mismo al sacerdote que preside moderar la Palabra de Dios y dar la bendición final. También a él le está permitido hacer una brevísima introducción para preparar a los fieles para la Misa del día, después del saludo inicial y antes del acto penitencial; para la Liturgia de la Palabra, antes de las lecturas; para la Plegaria eucarística, antes del Prefacio, y nunca durante la misma y, finalmente, dar por concluida la celebración litúrgica, antes de la fórmula de despedida.

32. La naturaleza de las intervenciones "presidenciales" exige que se pronuncien claramente y en voz alta, y que todos las escuchen atentamente[44]. Por consiguiente, mientras interviene el sacerdote, no se cante ni se rece otra cosa, y estén igualmente callados el órgano y cualquier otro instrumento musical.

33. El sacerdote pronuncia oraciones como presidente en nombre de toda la Iglesia y de la comunidad congregada, y a veces lo hace a título propio, para poder cumplir con su ministerio con mayor atención y piedad. Estas oraciones, que se proponen antes de la lectura del Evangelio, durante la preparación de los dones, como también antes y después de la comunión del sacerdote, se dicen en secreto.

Otras fórmulas que se presentan en la celebración

34. Puesto que la celebración de la Misa, por su propia naturaleza tiene carácter "comunitario"[45], merecen especial relieve los diálogos entre el sacerdote y los fieles congregados, y asimismo las aclamaciones[46]. Estos elementos no son solamente señales exteriores de una celebración común, sino que fomentan y realizan la comunión entre el sacerdote y el pueblo.

35. Las aclamaciones y respuestas de los fieles a los saludos del sacerdote y a sus oraciones constituyen precisamente ese nivel de participación activa que se pide en cualquier forma de Misa a los fieles reunidos, para que quede así expresada y fomentada la acción común de toda la comunidad[47].

36. Otras partes que son muy útiles para manifestar y favorecer la activa participación de los fieles y que se encomiendan a toda la asamblea convocada, son, sobre todo, el acto penitencial, la profesión de fe, la oración de los fieles y la oración dominical.

37. De entre las otras fórmulas:

1) algunas tienen por sí mismas el valor de rito o de acto; por ejemplo, el *Gloria,* el salmo responsorial, el *Aleluya* y el verso anterior al Evangelio, el *Santo,* la aclamación de la anámnesis y el canto después de la comunión;

2) otras, en cambio, simplemente acompañan un rito; por ejemplo, los cantos: de entrada, del ofertorio, de la fracción (*Cordero de Dios*) y de la Comunión.

Modos de proclamar diversos textos

38. En los textos que el sacerdote o el diácono o el lector o todos han de pronunciar claramente y en voz alta, ésta responda a la índole del respectivo texto, según se trate de lectura, oración, advertencia, aclamación o canto; téngase igualmente en cuenta la diversidad de celebración, y circunstancias de la asamblea; aparte, naturalmente, de la índole de las diversas lenguas y caracteres de los pueblos.

En las rúbricas y normas que siguen, los vocablos "pronunciar" o "decir" deben entenderse lo mismo del canto que de los recitados, según los principios que acaban de enunciarse.

Importancia del canto

39. Amonesta el Apóstol a los fieles que se reúnen esperando la venida de su Señor que canten todos juntos con salmos, himnos y cantos espirituales (cf. Col. 3, 16). El canto es una señal del gozo del corazón (cf. Hech 2, 46). De ahí que San Agustín diga con razón: "El cantar es propio del enamorado"[48]; y viene de tiempos muy antiguos el famoso proverbio: "Quien bien canta, dos veces ora".

40. Téngase por consiguiente, en gran estima el uso del canto en las celebraciones, siempre según el carácter de cada pueblo y las posibilidades de cada asamblea litúrgica. Aunque no es siempre necesario usar el canto, por ejemplo, en las Misas feriales, para todos los textos que de suyo se destinan a ser cantados, se debe procurar que no falte el canto de los ministros y del pueblo en las celebraciones que se llevan a cabo los domingos y fiestas de precepto.

Al hacer la selección de los que de hecho se van a cantar, se dará la preferencia a las partes que tienen mayor importancia, sobre todo a aquellas que deben cantar el sacerdote o diácono o lector, con respuesta del pueblo, o el sacerdote y el pueblo al mismo tiempo[49].

41. El canto gregoriano, sin disminuir en nada la igual dignidad de otros, obtenga el lugar principal en cuanto propio de la Liturgia romana. Otros géneros de la música sagrada, sobre todo la polifonía, de ningún modo se excluyen, con tal que respondan al espíritu de la acción litúrgica y fomenten la participación de todos los fieles[50].

Y ya que es cada día más frecuente el encuentro de fieles de diversas nacionalidades, conviene que esos mismos fieles sepan cantar todos a una en latín algunas de las partes del Ordinario de la Misa, sobre todo el símbolo de la fe y la oración dominical en sus melodías más fáciles[51].

Posturas corporales

42. Las expresiones y posturas corporales tanto del sacerdote, del diácono y de los ministros, como del pueblo, deben contribuir a que toda la celebración se caracterice por la belleza y la noble simplicidad, se perciba el significado verdadero y pleno de sus partes y se fomente la participación de todos[52]. Para conseguirlo será necesario atenerse a las normas definidas por esta *Ordenación General* y la praxis tradicional del Rito romano, es decir, a las normas que contribuyen al bien espiritual común del pueblo de Dios más que a las tendencias o gustos personales.

La postura uniforme, seguida por todos los que toman parte en la celebración, es un signo de unidad de los miembros de la comunidad cristiana congregada para la sagrada Liturgia, ya que expresa y fomenta al mismo tiempo la unanimidad de los participantes.

43. Los fieles queden de pie desde el principio del Canto de entrada, mientras el sacerdote se acerca al altar, hasta el final de la colecta; al canto del *Aleluya* que precede al Evangelio; durante el Evangelio, durante la profesión de fe y la oración universal; y desde la invitación "oren, hermanos . . ." antes de la oración sobre las ofrendas hasta el fin de la Misa, excepto en los momentos que luego se enumeran.

En cambio, estarán sentados durante las lecturas que preceden al Evangelio, con su salmo responsorial; durante la homilía, y mientras se hace la preparación de los dones en el ofertorio; también, según la oportunidad, pueden sentarse o arrodillarse a lo largo del sagrado silencio que se observa después de la comunión.

En las diócesis de los Estados Unidos de América, deben arrodillarse después del canto o la recitación del *Sanctus* hasta después del *Amén* de la Plegaria eucarística a no ser que lo impida de vez en cuando la salud, la estrechez del lugar o el gran número de los presentes u otras causas razonables. Los que no se arrodillan para la consagración deben hacer una inclinación profunda mientras el sacerdote hace genuflexión después de la consagración. Los fieles se arrodillan después del Agnus Dei a menos que el Obispo diocesano determine lo contrario[53].

Para conseguir la uniformidad en posturas corporales en la misma celebración, obedezcan los fieles a las moniciones que el diácono o el ministro laico o el sacerdote haga durante la celebración, según lo establecido en el Misal.

44. Bajo el vocablo "posturas corporales" se comprenden también algunas acciones y procesiones; por ejemplo, cuando el sacerdote con el diácono y los ministros se acercan al altar, del diácono que lleva el Evangeliario o el Libro de los Evangelios al ambón antes de la proclamación del Evangelio; cuando los fieles ofrecen los dones, y cuando los fieles se acercan a la Comunión. Conviene que todo esto se haga en forma decorosa, mientras se cantan los textos correspondientes según las normas establecidas en cada caso.

Silencio

45. También como parte de la celebración ha de guardarse en su tiempo silencio sagrado[54]. La naturaleza de este silencio depende del momento en que se observa durante la Misa. Así en el acto penitencial y después de una invitación a orar, los presentes se concentran en sí mismos; al terminarse la lectura o la homilía, reflexionan brevemente sobre lo que han oído; después de la comunión alaban a Dios en su corazón y oran.

Ya antes de la celebración misma, es muy laudable que se guarde silencio en la iglesia, en la sacristía, en el secretarium, y en los lugares cercanos, para que todos puedan disponerse para celebrar devota y debidamente los ritos sagrados.

III. DIVERSAS PARTES DE LA MISA

A) Ritos iniciales

46. Todo lo que precede a la liturgia de la Palabra, es decir, el canto de entrada el saludo, el acto penitencial, el *Kyrie* con el *Gloria* y la colecta, tienen el carácter de exordio, introducción y preparación.

La finalidad de estos ritos, es hacer que los fieles reunidos constituyan una comunidad y se dispongan a oír como conviene la Palabra de Dios y a celebrar dignamente la Eucaristía.

En algunas celebraciones, que se unen con la Misa según la norma de los libros litúrgicos, los ritos iniciales se omiten o se realizan de manera peculiar.

Canto de entrada

47. Reunido el pueblo, mientras entra el sacerdote con el diácono y los ministros, se da comienzo al canto de entrada. El fin de este canto es abrir la celebración, fomentar la unión de quienes se han reunido, elevar sus pensamientos a la contemplación del misterio del tiempo litúrgico o de la fiesta, y acompañar la procesión de sacerdotes y ministros.

48. Se canta alternativamente por el coro y el pueblo, o por el cantor y el pueblo, o todo por el pueblo, o solamente por el coro. En las diócesis de los Estados Unidos de América existen cuatro opciones para el cantus *ad introitum:* (1) la antífona del Misal Romano o el Salmo del *Graduale Romanum* arreglado según la

música establecida en éste o en otro arreglo musical; (2) la antífona estacional y Salmo según el *Graduale Simplex*; (3) un canto de otra colección de salmos y antífonas, aprobada por la Conferencia de los Obispos o por el obispo diocesano, incluyendo salmos arreglados en forma métrica o responsorial; (4) un canto litúrgico apropiado aprobado de modo parecido por la Conferencia de los Obispos o por el Obispo diocesano[55].

Si no se canta a la entrada, los fieles o algunos de ellos o un lector recitará la antífona propuesta en el Misal. Si esto no es posible, la recitará al menos el mismo sacerdote, el cual puede también adaptarla a la manera de una monición inicial (cf. n. 31).

Saludo al altar y al pueblo congregado

49. El sacerdote, el diácono y los ministros, cuando llegan al presbiterio, saludan al altar con una inclinación profunda.

Para manifestar la veneración, el sacerdote y el diácono besan el altar. El sacerdote, si lo cree oportuno, podrá también incensar la cruz y el altar.

50. Terminado el canto de entrada, el sacerdote, de pie junto a la sede, y toda la asamblea, hacen la señal de la cruz. A continuación el sacerdote, por medio de un saludo, manifiesta a la asamblea reunida la presencia del Señor. Con este saludo y con la respuesta del pueblo queda de manifiesto el misterio de la Iglesia congregada.

Terminado el saludo, el sacerdote o el diácono u otro ministro laico puede hacer a los fieles una brevísima introducción sobre la Misa del día.

Acto penitencial

51. Después el sacerdote invita al acto penitencial que, tras un momento de silencio, se realiza cuando toda la comunidad hace su confesión general y se termina con la absolución del sacerdote, la cual sin embargo, carece de eficacia propia del sacramento de penitencia.

El domingo, sobre todo en el tiempo pascual, en lugar del acostumbrado acto penitencial, se puede realizar la bendición y la aspersión del agua en memoria del bautismo[56].

Señor, ten piedad

52. Después del acto penitencial se empieza el *Señor, ten piedad,* a no ser que éste haya formado ya parte del mismo acto penitencial. Siendo un canto con el que los fieles aclaman al Señor y piden su misericordia, regularmente habrán de hacerlo todos, es decir, tomarán parte en él el pueblo, el coro y los cantores.

Cada una de estas aclamaciones se repite, normalmente, dos veces, sin excluir, según el modo de ser de cada lengua o las exigencias del arte o de las circunstancias, una más amplia repetición o la intercalación de algún brevísimo "tropo".

Gloria

53. El *Gloria* es un antiquísimo y venerable himno con que la Iglesia congregada en el Espíritu Santo glorifica a Dios Padre y al Cordero y le presenta sus súplicas. El texto de este himno no se puede cambiar por algún otro. Es iniciado por el sacerdote o, según la oportunidad, por un cantor o por el coro y lo cantan o todos juntos, o el pueblo alternando con el coro o el coro solo. Si no se canta lo han de recitar todos, o juntos a dos coros alternativamente.

El *Gloria* se canta o se recita los domingos, fuera del tiempo de Adviento y Cuaresma, las solemnidades y fiestas y en algunas celebraciones peculiares.

Oración colecta

54. A continuación el sacerdote invita al pueblo a orar y todos, a una con el sacerdote, permanecen un rato en silencio para hacerse conscientes de estar en la presencia de Dios y formular interiormente sus súplicas. Entonces el sacerdote lee la oración que se suele denominar "colecta" con la que se expresa el carácter de la celebración. Según la antigua tradición de la Iglesia, la oración colecta se dirige regularmente a Dios Padre por Cristo en el Espíritu Santo[57] y termina con una conclusión trinitaria de la manera siguiente:

si se dirige al Padre: *Por nuestro Señor Jesucristo, tu Hijo, que vive y reina contigo en la unidad del Espíritu Santo y es Dios por los siglos de los siglos;*

si se dirige al Padre, pero al fin de esa oración se menciona al Hijo: *Él, que vive y reina contigo en la unidad del Espíritu Santo y es Dios, por los siglos de los siglos;*

si se dirige al Hijo: *Tú que vives y reinas con el Padre en la unidad del Espíritu Santo y eres Dios por los siglos de los siglos.*

El pueblo, uniéndose a esta súplica, hace suya la oración pronunciando la aclamación: *Amén.*

En la Misa siempre se dice una sola Oración colecta.

B) Liturgia de la Palabra

55. Las lecturas tomadas de la Sagrada Escritura, con los cantos que se intercalan, constituyen la parte principal de la liturgia de la Palabra; la homilía, la profesión de fe y la oración universal u oración de los fieles, la desarrollan y concluyen. En las lecturas, que luego desarrolla la homilía, Dios habla a su pueblo[58], le descubre el misterio de la Redención y Salvación, y le ofrece el alimento espiritual; y el mismo Cristo, por su Palabra, se hace presente en medio de los fieles[59]. Esta Palabra divina la hace suya el pueblo con sus cantos y mostrando su adhesión a ella con la profesión de fe; y una vez nutrida con ella, en la oración universal, hace súplicas por las necesidades de la Iglesia entera y por la salvación de todo el mundo.

Silencio

56. La liturgia de la Palabra debe ser celebrada de tal manera que favorezca la meditación, por eso se debe evitar absolutamente toda forma de apresuramiento que impida el recogimiento. En ella son convenientes también unos breves espacios de silencio, acomodados a la asamblea reunida, en los cuales, con la ayuda del Espíritu Santo, se perciba con el corazón la Palabra de Dios y se prepare la respuesta por la oración. Estos momentos de silencio se pueden guardar oportunamente, por ejemplo, antes de que se inicie la misma liturgia de la Palabra, después de la primera y la segunda lectura, y terminada la homilía[60].

Lecturas bíblicas

57. En las lecturas se dispone la mesa de la Palabra de Dios a los fieles y se les abren los tesoros bíblicos[61]. Se debe por tanto, respetar la disposición de las lecturas bíblicas, la cual pone de relieve la unidad de ambos Testamentos y de la historia de salvación. No está permitido cambiar las lecturas y el salmo responsorial, que contienen la Palabra de Dios, por otros textos no bíblicos[62].

58. En la celebración de la Misa con el pueblo las lecturas se proclaman siempre desde el ambón.

59. El leer las lecturas, según la tradición, no es un oficio presidencial, sino ministerial. Por consiguiente las lecturas son proclamadas por un lector, el Evangelio en cambio viene leído por el diácono o, si está ausente, por otro sacerdote. Cuando falte el diácono u otro sacerdote, el mismo sacerdote celebrante leerá el Evangelio; y en ausencia de lectores idóneos, el sacerdote celebrante proclamará también las demás lecturas.

Después de cada lectura, el que lee pronuncia la aclamación, a la cual el pueblo congregado responde rindiendo el honor a la Palabra de Dios recibida con fe y espíritu agradecido.

60. La lectura del Evangelio constituye el culmen de la Liturgia de la Palabra. Que se haya de tributar suma veneración a la lectura del Evangelio lo enseña la misma liturgia cuando la distingue por encima de las otras lecturas con especiales muestras de honor, sea por parte del ministro encargado de anunciarlo y por la bendición y oración con que se dispone a hacerlo, sea por parte de los fieles, que con sus aclamaciones reconocen y proclaman la presencia de Cristo que les habla y escuchan la lectura puestos en pie; sea finalmente por las mismas muestras de veneración que se tributan al Evangeliario.

Salmo responsorial

61. Después de la primera lectura sigue un salmo responsorial, que es parte integrante de la liturgia de la Palabra y tiene gran importancia litúrgica y pastoral, en cuanto que fomenta la meditación de la Palabra de Dios.

El salmo debe responder a cada una de las lecturas y por lo regular se toma del leccionario.

Es preferible que el salmo responsorial se cante, por lo menos en lo que se refiere a la respuesta del pueblo. Por consiguiente, el salmista o cantor del salmo, desde el ambón o desde otro sitio oportuno, proclama los versos del salmo, mientras toda la asamblea escucha sentada o mejor, participa con su respuesta, a no ser que el salmo se pronuncie todo él seguido, es decir, sin intervención de respuestas. Para que el pueblo pueda más fácilmente intervenir en la respuesta salmódica, han sido seleccionados algunos textos de responsorios y salmos, según los diversos tiempos del año o las diversas categorías de santos. Estos textos podrán emplearse en vez del texto correspondiente a la lectura todas las veces que el salmo se canta. Si el salmo no puede ser cantado, debe ser recitado de manera adecuada para que favorezca la meditación de la Palabra de Dios.

En las diócesis de los Estados Unidos de América, en lugar del salmo asignado por el leccionario, se puede cantar: o sea la antífona propia o estacional y el Salmo del leccionario arreglado en la forma del *Graduale Romanum* o el *Graduale Simplex,* o en otro arreglo musical; o sea una antífona y Salmo de otra colección de salmos y antífonas, incluyendo salmos arreglados en forma métrica, con tal de que hayan sido aprobados por la Conferencia de Obispos Católicos de los Estados Unidos de América o el Obispo diocesano. No se permite usar cantos ni himnos en lugar del Salmo responsorial.

Aclamación antes del Evangelio

62. Después de la lectura que precede inmediatamente al Evangelio, se canta el *Aleluya* u otro canto establecido por las rúbricas, según las exigencias del tiempo litúrgico. Esta aclamación constituye por sí misma un rito o acto en el cual la asamblea de los fieles recibe al Señor que está por hablar en el Evangelio, lo saluda y confiesa su fe con el canto. Es cantado por todos los presentes. Lo comienza el cantor o el coro y, si es el caso, se repite. En cambio el verso viene cantado por el coro o el cantor.

a) El *Aleluya* se canta en todos los tiempos fuera de la Cuaresma. Los versos se toman del leccionario o del Gradual.

b) En el tiempo de Cuaresma, en lugar del *Aleluya,* se canta el verso antes del Evangelio que aparece en el leccionario. Se puede cantar también otro salmo o tracto, que se encuentran en el Gradual.

63. Cuando se tiene una sola lectura antes del Evangelio:

a) En el tiempo en que se dice *Aleluya* se puede utilizar o el salmo aleluyático o el salmo y el *Aleluya* con su propio verso.

b) En el tiempo en que no se ha de decir *Aleluya,* se puede utilizar o el salmo o el verso que precede al Evangelio.

c) El *Aleluya* o el verso que precede al Evangelio, si no se canta, puede omitirse.

64. La "Secuencia" que, fuera de los días de Pascua y Pentecostés, es opcional, se canta antes del *Aleluya.*

Homilía

65. La homilía es parte de la liturgia, muy recomendada[63], pues es necesaria para alimentar la vida cristiana. Conviene que sea una explicación, o de algún aspecto particular de las lecturas de la Sagrada Escritura, o de otro texto del Ordinario, o de la Misa del día, teniendo siempre presente, ya el misterio que se celebra, ya las particulares necesidades de los oyentes[64].

66. La homilía la tendrá ordinariamente el sacerdote celebrante o será encomendada por él al sacerdote concelebrante, o a veces, si es oportuno, también al diácono, pero nunca a un laico[65]. En casos particulares y por una causa justa la homilía puede ser pronunciada incluso por el Obispo o el presbítero presente en la celebración pero que no concelebra.

Los domingos y fiestas de precepto téngase la homilía en todas las Misas que se celebran con asistencia del pueblo; fuera de eso se recomienda sobre todo en los días feriales de Adviento, Cuaresma y tiempo pascual, y también en otras fiestas y ocasiones en que suele haber numerosa concurrencia de fieles[66].

Después de la homilía se guardará oportunamente un breve momento de silencio.

Profesión de fe

67. El símbolo o profesión de fe tiende a que todo el pueblo reunido dé su respuesta a la Palabra de Dios proclamada en las lecturas de la Sagrada Escritura y explicada en la homilía y, pronunciando la regla de su fe, con la fórmula aprobada para el uso litúrgico, traiga a su memoria y confiese los grandes misterios de la fe, antes de empezar su celebración en Eucaristía.

68. El símbolo debe ser cantado o recitado por el sacerdote con el pueblo en los domingos y solemnidades; se puede también recitar en celebraciones de peculiar importancia y solemnidad.

Si se canta, el canto del símbolo viene iniciado por el sacerdote o, si es oportuno, por el cantor o por el coro, y proseguido por todos juntos, o por el pueblo y el coro alternativamente.

Si no se canta, se debe recitar por todos juntos o a dos coros alternativamente.

Oración universal

69. En la oración universal u oración de los fieles, el pueblo, responde de alguna manera a la Palabra recibida con fe y, ejercitando su oficio sacerdotal, ruega a Dios por la salvación de todos. Conviene que esta oración se haga normalmente en las Misas a las que asiste el pueblo, de modo que se eleven súplicas por la santa Iglesia, por los gobernantes, por todos los necesitados y por todos los hombres y la salvación de todo el mundo[67].

70. El orden de estas intenciones será generalmente:

a) por las necesidades de la Iglesia,

b) por los que gobiernan el Estado y por la salvación del mundo entero,

c) por los oprimidos bajo determinadas dificultades,

d) por la comunidad local.

Sin embargo, en alguna celebración particular, como en la Confirmación, Matrimonio o Funerales, el orden de las intenciones puede amoldarse mejor a la ocasión.

71. Toca al sacerdote celebrante dirigir estas súplicas desde la sede. El mismo invita a los fieles a la oración con una breve monición y concluye la oración misma. Las intenciones que se proponen deben ser sobrias, redactadas con pocas palabras y con una sabia libertad, y deben expresar la plegaria de la comunidad entera.

Las dice un diácono o un cantor o un lector o un fiel laico desde el ambón o de otro lugar conveniente[68].

El pueblo, estando de pie, expresa sus súplicas o con una invocación común, que se pronuncia después de cada intención, u orando en silencio.

C) Liturgia eucarística

72. En la última Cena, Cristo instituyó el sacrificio y banquete pascual, por el que se hace continuamente presente en la Iglesia el sacrificio de la cruz, cuando el sacerdote, que representa a Cristo el Señor, lleva a cabo lo que el Señor mismo realizó y confió a sus discípulos para que lo hicieran en memoria suya[69].

Cristo tomó en sus manos el pan y el cáliz, dio gracias, lo partió, lo dio a sus discípulos, y dijo: "Tomad, comed, bebed: esto es mi cuerpo: éste es el cáliz de mi sangre. Haced esto en conmemoración mía". De ahí que la Iglesia haya ordenado toda la celebración de la liturgia eucarística según estas mismas partes, con las palabras y acciones de Cristo. Ya que:

1) En la preparación de las ofrendas se presentan en el altar el pan y el vino con agua; es decir, los mismos elementos que Cristo tomó en sus manos.

2) En la Plegaria eucarística se da gracias a Dios por toda la obra de la salvación, y las ofrendas se convierten en el Cuerpo y la Sangre de Cristo.

3) Por la fracción del Pan y por la Comunión, los fieles, a pesar de ser muchos, de un solo pan reciben el Cuerpo y de un solo cáliz la Sangre del Señor, del mismo modo que los Apóstoles lo recibieron de manos del mismo Cristo.

Preparación de los dones

73. Al comienzo de la Liturgia eucarística se llevan al altar los dones que se convertirán en el Cuerpo y la Sangre de Cristo.

En primer lugar se prepara el altar o la mesa del Señor, que es el centro de toda la Liturgia eucarística,[70] y sobre él se colocan el corporal, el purificador, el Misal y el cáliz, que puede también dejarse preparado en la credencia.

Se traen a continuación las ofrendas: es de alabar que el pan y el vino lo presenten los mismos fieles. Un sacerdote o el diácono saldrá a recibirlos a un sitio oportuno y lo llevará al altar. Aunque los fieles no traigan pan y vino suyo, como se hacía antiguamente, con este destino litúrgico, el rito de presentarlos conserva igualmente todo su sentido y significado espiritual.

El dinero y otros dones que los fieles aportan para los pobres o para la Iglesia, se consideran también como ofrendas; por eso se colocan en un lugar apropiado, fuera de la mesa eucarística.

74. Acompaña a este cortejo de presentación de las ofrendas el canto del ofertorio (cf. n. 37b), que se prolonga por lo menos hasta que los dones han sido depositados sobre el altar. Las normas sobre el modo de hacer este canto son las mismas dadas para el canto de entrada (n. 48). El canto puede siempre acompañar los ritos del ofertorio, aún cuando no haya procesión de ofrendas.

75. El sacerdote coloca el pan y el vino sobre el altar recitando las fórmulas prescritas. El sacerdote puede incensar los dones colocados sobre el altar, la cruz y el altar mismo, para significar que la ofrenda de la Iglesia y su oración suben ante el trono de Dios como el incienso. Después el sacerdote, en virtud del ministerio sagrado, y el pueblo, en virtud de la dignidad bautismal, pueden ser incensados por el diácono u otro ministro.

76. A continuación el sacerdote se lava las manos al lado del altar. Con este rito se expresa el deseo de purificación interior.

Oración sobre las ofrendas

77. Terminada la colocación de las ofrendas y concluidos los ritos que la acompañan se concluye la preparación de los dones, con una invitación a orar juntamente con el sacerdote, y con la fórmula llamada "Oración sobre las ofrendas". Así queda preparada la Oración eucarística.

En la Misa se debe decir sólo una Oración sobre las ofrendas, la cual se concluye con la fórmula breve, es decir: *Por Cristo nuestro Señor;* y si se menciona al Hijo: *Que vive y reina por los siglos de los siglos.*

El pueblo, al unirse a la plegaria, hace suya la oración con la aclamación *Amén.*

Plegaria eucarística

78. Comienza ahora la Oración eucarística, que es el punto central y el momento culminante de toda la celebración; es una plegaria de acción de gracias y de santificación. El sacerdote invita a los fieles a levantar el corazón hacia Dios y a darle gracias a través de la oración que él, en nombre de toda la comunidad, va a dirigir al Padre por medio de Jesucristo en el Espíritu Santo. El sentido de esta oración es que toda la congregación de los fieles se una con Cristo en el reconocimiento de las grandezas de Dios y en la oblación del sacrificio. La Plegaria eucarística exige que todos la escuchen con reverencia y en silencio.

79. Los principales elementos de que consta la Oración eucarística pueden distinguirse de esta manera:

a) *Acción de gracias:* (que se expresa sobre todo en el Prefacio) en la que el sacerdote, en nombre de todo el pueblo santo, glorifica a Dios Padre y le da las gracias por toda la obra de salvación o por alguno de sus aspectos particulares, según las variantes del día, de la festividad o del tiempo.

b) *Aclamación:* con la que toda la asamblea, uniéndose a las potestades celestiales, canta o recita el *Santo.* Esta aclamación, que constituye una parte de la Plegaria eucarística, la pronuncia todo el pueblo con el sacerdote.

c) *Epíclesis:* con la que la Iglesia, por medio de determinadas invocaciones, implora el poder del Espíritu Santo para que los dones que han ofrecido los hombres, sean consagrados, es decir, se conviertan en el Cuerpo y la Sangre de Cristo, y para que la hostia inmaculada que se va a recibir en la comunión sea para salvación de quienes la reciban.

d) *Narración de la institución y consagración:* mediante las palabras y acciones de Cristo se lleva a cabo el sacrificio que Cristo mismo instituyó en la última Cena, cuando ofreció su Cuerpo y su Sangre bajo las especies de pan y vino, los dio a los Apóstoles en forma de alimento y bebida, y les dejó el mandato de perpetuar este mismo misterio.

e) *Anámnesis:* con la que, al cumplir el encargo que a través de los Apóstoles, la Iglesia recibió de Cristo Señor, realiza el memorial del mismo Cristo, recordando principalmente su bienaventurada pasión, su gloriosa resurrección y la ascensión al cielo.

f) *Oblación:* por la que, en este memorial, la Iglesia, sobre todo la Iglesia aquí y ahora reunida, ofrece al Padre en el Espíritu Santo, la hostia inmaculada. La Iglesia pretende que los fieles no sólo ofrezcan la hostia inmaculada, sino que aprendan a ofrecerse a sí mismos[71], y que de día en día perfeccionen con la mediación de Cristo, la unidad con Dios y entre sí, de modo que sea Dios todo en todos[72].

g) *Intercesiones:* con ellas se da a entender que la Eucaristía se celebra en comunión con toda la Iglesia celeste y terrena, y que la oblación se hace por ella y por todos sus miembros vivos y difuntos, miembros que han sido todos llamados a la participación de la salvación y redención adquirida por el Cuerpo y la Sangre de Cristo.

h) *Doxología final:* en la que se expresa la glorificación de Dios, y que se concluye y confirma con la aclamación del pueblo.

Rito de Comunión

80. Ya que la celebración eucarística es un convite pascual, conviene que, según el encargo del Señor, su Cuerpo y su Sangre sean recibidos como alimento espiritual por los fieles debidamente preparados. A esto tienden la fracción y otros ritos preparatorios, con los que se va llevando a los fieles hasta el momento de la Comunión.

Oración dominical

81. En la oración dominical se pide el pan cotidiano, que para los cristianos evoca principalmente el Pan eucarístico, y se implora la purificación de los pecados, de modo que, en realidad se den a los santos las cosas santas. El sacerdote invita orar y los fieles dicen, todos a una con el sacerdote, la oración. Sólo el sacerdote añade el embolismo, y el pueblo se une a él para terminarlo con la doxología. El embolismo, que desarrolla la última petición de la oración dominical, pide para toda la comunidad de los fieles la liberación del poder del mal.

La invitación, la oración misma, el embolismo y la doxología con que el pueblo cierra esta parte, se cantan o se dicen con voz clara.

Rito de la paz

82. Sigue a continuación el rito de la paz, con el que la Iglesia implora la paz y la unidad para sí misma y para toda la familia humana y los fieles se expresan mutuamente la comunión y la caridad, antes de comulgar en el Sacramento.

Por lo que toca al mismo rito de la paz, establezcan las Conferencias de los Obispos el modo más conveniente, según las costumbres y el carácter de cada pueblo. Pero conviene que cada uno exprese el signo de la paz sobriamente y sólo a las personas más cercanas.

Fracción del Pan

83. El sacerdote parte el Pan eucarístico; lo ayudan, si es necesario, el diácono o un concelebrante. El acto de la fracción del Pan, realizado por Cristo en la última Cena, fue el que en los tiempos apostólicos sirvió para denominar a la íntegra acción eucarística. Este rito no sólo tiene una finalidad práctica, sino que significa además que nosotros, que somos muchos, en la comunión de un

solo Pan de Vida, que es Cristo, nos hacemos un solo cuerpo (1 Cor 10, 17). La fracción empieza después del rito de la paz, y se realiza con la debida reverencia, sin prolongarla innecesariamente y sin darle una importancia exagerada. Este rito está reservado al sacerdote y al diácono.

El sacerdote parte el Pan y deja caer una parte de la Hostia en el cáliz para significar la unidad del Cuerpo y la Sangre del Señor en la obra de la salvación, es decir, del Cuerpo de Cristo Jesús viviente y glorioso. El coro o un cantor, cantan la súplica *Cordero de Dios,* según la costumbre, con la respuesta del pueblo, o al menos lo dicen en voz alta. Esta invocación acompaña la fracción del Pan, por este motivo puede repetirse cuantas veces sea necesario hasta la conclusión del rito. La última vez se concluirá con las palabras: *danos la paz.*

Comunión

84. El sacerdote se prepara con una oración privada, para recibir con fruto el Cuerpo y la Sangre de Cristo. Los fieles hacen lo mismo, orando en silencio.

Luego el sacerdote muestra a los fieles el Pan eucarístico sobre la patena o sobre el cáliz y los invita al banquete de Cristo; y juntamente con los fieles formula, usando palabras evangélicas prescritas, un acto de humildad.

85. Es muy de desear que los fieles participen, como está obligado a hacerlo el mismo sacerdote, del Cuerpo del Señor con Hostias consagradas en esa misma Misa y, en los casos previstos (cf. n. 283), participen del cáliz, de modo que aparezca mejor, por los signos exteriores, que la Comunión es una participación en el sacrificio que en ese momento se celebra[73].

86. Mientras el sacerdote recibe el sacramento, empieza el canto de la Comunión, el cual, por la unión de voces, debe expresar la unión espiritual de quienes están comulgando, demostrar la alegría del corazón y poner de relieve el carácter comunitario de la procesión de los que van a recibir la Eucaristía. El canto se prolonga mientras a los fieles se administra el Sacramento[74]. En el caso de que se cante un himno después de la Comunión, ese canto termínese a tiempo.

Se debe procurar que también los cantores puedan comulgar fácilmente.

87. En las diócesis de los Estados Unidos de América existen cuatro opciones para el *cantus ad Communionem:* (1) la antífona del Misal Romano o el Salmo del *Graduale Romanum* arreglado según la música establecida en éste o en otro arreglo musical; (2) la antífona estacional y Salmo según el *Graduale Simplex;* (3) un canto de otra colección de salmos y antífonas, aprobada por la Conferencia de Obispos Católicos de los Estados Unidos de América o por el Obispo diocesano, incluyendo salmos arreglados en forma métrica o responsorial; (4) un canto litúrgico apropiado escogido de acuerdo con la IGMR, n. 86. Lo cantan los cantores solos o también uno o varios de ellos con el pueblo.

Si no hay canto, la antífona propuesta por el Misal puede ser recitada por los fieles, o por algunos de ellos, o por un lector. En caso contrario, la recitará el mismo sacerdote después de haber comulgado y antes de distribuir la Comunión a los fieles.

88. Cuando se ha terminado de distribuir la Comunión, el sacerdote y los fieles, si es oportuno, oran un rato recogidos. Si se prefiere, puede también cantar toda la asamblea un himno, un salmo o algún otro canto de alabanza.

89. Para completar la súplica de los fieles y concluir todo el rito de la Comunión, el sacerdote dice la Oración después de la Comunión, en la que se ruega porque se obtengan los frutos del misterio celebrado.

En la Misa se dice sólo una oración después de la Comunión, que termina con una conclusión breve, es decir:

—si se dirige al Padre: Por Cristo nuestro Señor;

—si se dirige al Padre, con la mención final del Hijo: Que vive y reina por los siglos de los siglos;

—si se dirige al Hijo: Que vives y reinas por los siglos de los siglos.

El pueblo hace suya la oración con la aclamación del *Amén.*

D) Rito de conclusión

90. El rito de conclusión consta de:

a) breves avisos, si son necesarios;

b) saludo y bendición sacerdotal, que en algunos días y ocasiones se enriquece y se amplía con la oración sobre el pueblo o con otra fórmula más solemne;

c) despedida del pueblo por parte del diácono o sacerdote, para que cada uno vuelva a sus buenas obras, alabando y bendiciendo a Dios;

d) beso del altar por parte del sacerdote y diácono y la consiguiente inclinación profunda hacia el altar por parte de los sacerdotes, del diácono y otros ministros.

CAPÍTULO III
Oficios y ministerios en la Misa

91. La celebración eucarística es acción de Cristo y de la Iglesia, es decir, del pueblo santo reunido y ordenado bajo la guía del Obispo. Por este motivo la celebración eucarística compete a todo el Cuerpo de la Iglesia, lo manifiesta y lo interesa, pues alcanza a cada uno de sus miembros, en modo diverso y propio, según la diversidad de órdenes, ministerios y de participación efectiva[75]. De esta manera el pueblo cristiano, "linaje elegido, sacerdocio real, nación santa, pueblo adquirido", manifiesta su constitución coherente y jerárquica[76]. Por consiguiente, todos, ministros ordenados y fieles laicos, cumpliendo cada uno con su oficio, hagan todo y sólo aquello que pertenece a cada uno[77].

I. OFICIOS DEL ORDEN SAGRADO

92. Toda celebración eucarística legítima es dirigida por el Obispo, ya sea personalmente, ya por los presbíteros sus colaboradores[78].

Cuando el Obispo está presente en una Misa, para la que se ha reunido el Pueblo, es muy conveniente que él mismo celebre la Eucaristía, y que asocie a su persona a los presbíteros como concelebrantes en la acción sagrada. Esto se hace no para aumentar la solemnidad exterior del rito, sino para significar de una manera más evidente el misterio de la Iglesia, "sacramento de unidad"[79].

Pero si el Obispo no celebra la Eucaristía, sino que delega a otro para eso, entonces es oportuno que sea él, vestido con el alba, la estola, la capa pluvial y la cruz pectoral, quien presida la Liturgia de la Palabra y dé la bendición al final de la Misa[80].

93. También el presbítero, que en la Iglesia posee, por el sacramento del Orden, la sagrada potestad de ofrecer el sacrificio, haciendo las veces de Cristo[81], preside, por esta razón, al pueblo fiel congregado, dirige sus oraciones, le anuncia el mensaje de la salvación, asocia a sí mismo al pueblo al ofrecer el sacrificio por Cristo en el Espíritu Santo a Dios Padre, da a sus hermanos el pan de la vida eterna y participa de él juntamente con ellos. Por consiguiente, cuando celebra la Eucaristía, debe servir a Dios y al pueblo con dignidad y humildad, y manifestar a los fieles, en el mismo modo de comportarse y de anunciar las divinas palabras, la presencia viva de Cristo.

94. Entre los que sirven en la celebración eucarística, después del presbítero, ocupa el primer lugar el diácono en virtud de la sagrada ordenación recibida. Pues el sagrado Orden del diaconado, ya desde la antigua edad apostólica, ha gozado de gran honor en la Iglesia[82]. En la Misa el diácono tiene su parte propia: en el anuncio del Evangelio y a veces en la predicación de la Palabra de Dios, en decir las intenciones de la oración universal, en ayudar al sacerdote, en la preparación del altar y en el servicio a la celebración del sacrificio, en distribuir a los fieles la Eucaristía, sobre todo bajo la especie de vino, y en las eventuales moniciones sobre posturas corporales y acciones del pueblo.

II. FUNCIONES DEL PUEBLO DE DIOS

95. En la celebración de la Misa, los fieles constituyen la nación sagrada, el pueblo que Dios adquirió para sí y el sacerdocio real, que da gracias a Dios, ofrece, no sólo por manos del sacerdote, sino juntamente con él, la hostia inmaculada y aprende a ofrecerse con ella[83]. Procuren pues manifestar eso por el profundo sentido religioso y por la caridad hacia los hermanos que toman parte en la misma celebración.

Eviten por consiguiente toda apariencia de singularidad o de división, teniendo ante los ojos que es uno el Padre común que tenemos en el cielo, y que todos por consiguiente somos hermanos.

96. Actúen, pues, como un solo cuerpo, tanto al escuchar la Palabra de Dios, como al tomar parte en las oraciones y en los cantos y, en especial, al ofrecer comunitariamente el sacrificio y al participar todos juntos en la mesa del Señor. Esta unidad se manifiesta claramente en la uniformidad de gestos y posturas de los fieles.

97. No rehusen por tanto, los fieles servir al pueblo de Dios con gozo cuando se les pide que desempeñen en la celebración algún determinado ministerio o servicio.

III. ALGUNOS MINISTERIOS PARTICULARES

Ministerio del acólito y lector instituido

98. El acólito ha sido instituido para el servicio del altar y para ayudar al sacerdote y al diácono. Compete al acólito, de manera especial, preparar el altar y los vasos sagrados y, si es necesario, distribuir a los fieles la Eucaristía, de la cual es ministro extraordinario[84].

En el servicio del altar, el acólito tiene su parte propia (cf. nn. 187–193) que él mismo debe ejercer.

99. El lector ha sido instituido para hacer las lecturas de la Sagrada Escritura, excepto el Evangelio. Puede también proponer las intenciones de la oración universal y, cuando falta el salmista, decir el salmo entre las lecturas.

En la celebración eucarística el lector tiene su propia función (cf. nn. 194–198), que debe ejercer por él mismo.

Otras funciones

100. En ausencia del acólito instituido, al servicio del altar y para ayudar al sacerdote y al diácono, pueden designarse ministros laicos encargados de llevar la cruz, los cirios, el incensario, el pan y el vino y el agua[85].

101. En ausencia del lector instituido, para proclamar las lecturas de la Sagrada Escritura, se designarán otros laicos verdaderamente idóneos y cuidadosamente preparados para desempañar este oficio, para que los fieles, por la escucha de las lecturas divinas, conciban en sus corazones un afecto suave y vivo a la Sagrada Escritura[86].

102. Al salmista toca la parte del salmo o de algún otro canto bíblico que se encuentre entre las lecturas. Para cumplir bien con este oficio, es preciso que el salmista domine el arte del canto y pronuncie con toda claridad.

103. Entre los fieles, la *schola cantorum* o coro ejerce su propio oficio litúrgico, pues le corresponde ejecutar las partes reservadas

a ella, según los diversos géneros del canto, y favorecer la activa participación de los fieles en el mismo[87]. Lo que se dice de la *schola cantorum* vale también, salvada la debida proporción, para los otros músicos, sobre todo para el organista.

104. Es conveniente que haya un cantor o un director de coro, que se encargue de dirigir el canto del pueblo, más aún, cuando falta el coro, corresponderá a un cantor dirigir los diversos cantos, mientras el pueblo sea capaz de hacer su parte[88].

105. Ejercen también funciones litúrgicas:

a) El sacristán que dispone diligentemente los libros litúrgicos, los paramentos y otras cosas necesarias en la celebración de la Misa.

b) El comentarista que, si es oportuno, hace las explicaciones y da avisos a los fieles para que se preparen a la celebración y la comprendan mejor. Conviene que las moniciones del comentarista sean minuciosamente preparadas y notables por su sobriedad. En el cumplimiento de su oficio el comentarista ocupa el lugar adecuado ante los fieles, pero fuera del ambón.

c) Los que hacen las colectas en el templo.

d) En algunas regiones existe el encargado de recibir a los fieles en la puerta del templo, acomodarlos en los sitios que les corresponde y de ordenar las procesiones.

106. Conviene que, al menos en las iglesias catedrales y otras de mayor importancia, haya algún ministro competente o maestro de ceremonias para la preparación adecuada de las acciones sagradas, y para ensayar a los oficiantes, de modo que todo salga con decoro, orden y edificación.

107. Los oficios litúrgicos, que no son propios del sacerdote o del diácono, y sobre los cuales tratan los nn. 100–106, pueden ser confiados por el párroco o el rector del templo a laicos idóneos[89] por medio de una bendición o un encargo temporal. En lo relativo al oficio de ayudar al sacerdote en el altar, se deben observar las normas dadas por el Obispo para su diócesis.

IV. DISTRIBUCIÓN DE LAS FUNCIONES Y PREPARACIÓN DE LA CELEBRACIÓN

108. Un mismo y único sacerdote debe ejercer siempre la función presidencial en todas las partes de la celebración, exceptuadas aquellas que son propias de la Misa en la cual está presente el Obispo (cf. n. 92).

109. Si están presentes muchos que pueden ejercitar un mismo ministerio, nada impide el que se distribuyan entre sí las diversas partes del mismo; por ejemplo, se puede invitar a uno como diácono para las partes cantadas y a otro para el ministerio del altar; si hay varias lecturas, pueden éstas distribuirse entre diversos lectores; y así en lo demás. Es, sin embargo, absolutamente inadecuado dividir un único elemento de la celebración entre varias personas: por ejemplo, que en la misma lectura intervengan dos personas, una después de otra, a nos ser que se trate de la Pasión del Señor.

110. Si para la Misa con el pueblo no existe más que un solo ministro, éste puede ejercitar los diversos oficios.

111. La efectiva preparación de todas las formas de celebración litúrgica, hágase con ánimo concorde y diligentemente según el Misal y los demás libros litúrgicos[90] entre todos aquellos a quienes la cosa interesa, sea por lo que toca al rito o al aspecto pastoral o a la música, a juicio del rector del templo y oído también el parecer de los fieles en las cosas que a ellos directamente les competen. Pero siempre el sacerdote que preside la celebración tiene el derecho de decisión sobre lo que le compete a él.

CAPÍTULO IV
Diversas formas de celebración de la Misa

112. En una Iglesia local, corresponde evidentemente el primer puesto, por su significado, a la Misa presidida por el Obispo, rodeado de todo su presbiterio, diáconos y ministros laicos[91], y en la que el pueblo santo de Dios participa plena y activamente, ya que en esta Misa es donde se realiza la principal manifestación de la Iglesia.

En la Misa que celebra el Obispo, o en la que está presente sin celebrar la Eucaristía, se observarán las normas que se encuentran en el *Ceremonial de los Obispos*[92].

113. Téngase también en mucho la Misa que se celebra con una determinada comunidad, sobre todo con la comunidad parroquial, puesto que representa a la Iglesia universal establecida en el tiempo y lugar, sobre todo en la celebración comunitaria del domingo[93].

114. Entre las Misas celebradas por determinadas comunidades, ocupa un puesto singular la Misa conventual, que es una parte del Oficio cotidiano, así como también la Misa llamada "de Comunidad". Y aunque estas Misas no exigen ninguna forma especial de celebración, es, sin embargo, muy conveniente que se hagan con cantos, sobre todo con la plena participación de todos los miembros de la comunidad, religiosos o canónigos. Por consiguiente, en estas Misas ejerza cada uno su propio oficio, según el Orden o ministerio recibido. Conviene, pues, en estos casos, que todos los sacerdotes que no estén obligados a celebrar en forma individual por alguna utilidad pastoral de los fieles, concelebren, de ser posible, en estas Misas. Más aún, todos los sacerdotes pertenecientes a una comunidad, que tengan la obligación de celebrar en forma individual por el bien pastoral de los fieles, pueden concelebrar el mismo día en la Misa conventual o "de Comunidad"[94]. Es pues conveniente que los presbíteros presentes en la celebración eucarística, si no están excusados por una justa causa, ejerzan ordinariamente el oficio del Orden propio y por consiguiente participen como concelebrantes vestidos con los ornamentos sagrados. Si no es así, lleven el hábito coral propio o la sobrepelliz sobre la sotana.

I. MISA CON EL PUEBLO

115. Por "Misa con el pueblo" se entiende la que se celebra con participación de los fieles. Conviene que, mientras sea posible, sobre todo los domingos y fiestas de precepto, se tenga esta celebración con canto y con el número adecuado de ministros[95]; sin embargo, puede también tenerse sin canto y con un solo ministro.

116. En cualquier forma de celebración si está presente el diácono conviene que desempeñe su propio oficio. Conviene que acompañen normalmente al sacerdote celebrante un acólito, un lector y un cantor. Sin embargo, el rito que más abajo se describirá prevé también la disponibilidad de un mayor número de ministros.

Preparativos

117. Cúbrase el altar al menos con un mantel de color blanco. Sobre él o a su alrededor, colóquese en cada celebración un mínimo de dos candeleros, con sus velas encendidas o incluso cuatro o seis, sobre todo si se trata de la Misa dominical o festiva de precepto, o, si celebra el Obispo de la diócesis, siete. También sobre el altar o cerca de él, esté visible la cruz con la imagen del Cristo crucificado. Candeleros y cruz con la imagen del Cristo crucificado pueden llevarse en la procesión de entrada. Sobre el altar puede ponerse, a no ser que se lleve durante la procesión de entrada, el Evangeliario, distinto del libro de las restantes lecturas.

118. Prepárese también:

a) junto a la sede del sacerdote: el misal y, según convenga, el libro de los cantos;

b) en el ambón: el libro de las lecturas;

c) en la credencia: el cáliz, el corporal, el purificador, la palia, si se usa, la patena y los copones, si son necesarios; el pan para la comunión del sacerdote que preside, del diácono, de los ministros y del pueblo; las vinajeras con el vino y el agua, a no ser que todo esto lo vayan a ofrecer los fieles al momento del ofertorio; el vaso para la bendición del agua si se lleva a cabo la aspersión; la patena, para la comunión de los fieles, y lo necesario para la ablución de las manos.

Es de alabar que el cáliz se cubra con un velo, que podrá ser o de color del día o de color blanco.

119. En la sacristía, según las diversas formas de celebración, prepárense las vestiduras sagradas del sacerdote, del diácono y de otros ministros (cf. nn. 337–341):

a) para el sacerdote: el alba, la estola y la casulla;

b) para el diácono: el alba, la estola y la dalmática. Esta última, por necesidad o por grado inferior de solemnidad, puede omitirse;

c) para los demás ministros: albas u otras vestiduras legítimamente aprobadas[96].

Todos los que usen el alba, empleen el cíngulo y el amito, a no ser que la misma forma del alba no lo exija.

Cuando la entrada se realiza con la procesión, se deben preparar también: el Evangeliario; en los domingos y días festivos el incensario y la naveta con el incienso, si se usa el incienso; la cruz para la procesión, los candeleros con cirios encendidos.

A) Misa sin diácono

Ritos iniciales

120. Reunido el pueblo, el sacerdote y los ministros, revestidos cada uno con las vestiduras sagradas, avanzan hacia el altar por este orden:

a) el turiferario con el incensario humeante, si se emplea el incienso;

b) los ministros que llevan los cirios encendidos, y entre ellos un acólito u otro ministro con la cruz;

c) los acólitos y otros ministros;

d) un lector, que puede llevar el libro de los Evangelios levemente elevado, pero no el leccionario;

e) el sacerdote que va a celebrar la Misa.

Si se emplea el incienso, el sacerdote, antes de que siga adelante, lo pone en el incensario y lo bendice con un signo de la cruz, sin decir nada.

121. Mientras se hace la procesión hacia el altar, se tiene el canto de entrada (cf. nn. 47–48).

122. Cuando han llegado al altar, el sacerdote y los ministros hacen una inclinación profunda.

La cruz con la imagen del Cristo crucificado si es que se llevó en la procesión, se puede colocar como cruz del altar, la cual debe ser sólo una, en caso contrario debe guardarse en un lugar digno. Los candeleros se colocan o sobre el altar o junto al él. El Evangeliario, como es de alabar, se pone sobre el altar.

123. El sacerdote sube al altar y le hace reverencia con el beso. Luego, según la oportunidad, inciensa la cruz y el altar rodeándolo completamente.

124. Terminada esta ceremonia, el sacerdote va a su sede. Una vez concluido el canto de entrada, todos estando de pie, sacerdote y fieles, de pie, hacen la señal de la cruz. El sacerdote empieza: *En el nombre del Padre, y del Hijo y del Espíritu Santo.* El pueblo responde: *Amén.*

Luego vuelto el sacerdote al pueblo y extendiendo las manos, saluda a la asamblea usando una de las fórmulas propuestas. Puede también, o él u otro de los ministros, hacer una muy breve introducción a los fieles sobre la Misa del día.

125. Sigue a continuación el acto penitencial. Después se dice el *Señor, ten piedad,* según las rúbricas (cf. n. 52).

126. Cuando está indicado en las celebraciones se canta o se dice el *Gloria* (cf. n. 53).

127. Luego el sacerdote invita al pueblo a orar, juntando las manos y diciendo: *Oremos.* Todos, juntamente con el sacerdote, oran en silencio durante breve tiempo. Entonces el sacerdote, extendiendo las manos, dice la Oración Colecta, y cuando ésta termina, el pueblo aclama con el *Amén.*

Liturgia de la Palabra

128. Terminada la Oración Colecta todo se sientan. El sacerdote puede introducir brevemente a los fieles en la liturgia de la palabra. El lector avanza hacia el ambón y, del leccionario ya colocado antes de la Misa, recita la primera lectura, que todos escuchan. Al final el lector pronuncia la aclamación: *Palabra de Dios* y todos responden: *Te alabamos, Señor.*

Entonces, si es oportuno, se puede guardar un breve momento de silencio, para que todos mediten brevemente lo que escucharon.

129. Enseguida el salmista o el mismo lector, dice el verso del salmo y, ordinariamente, el pueblo responde.

130. Si se ha de tener una segunda lectura antes del Evangelio, el lector la hace desde el ambón, mientras todos la escuchan y responden a la aclamación final, como se ha dicho antes (n. 128). Luego, si es oportuno se puede guardar un breve momento de silencio.

131. Después, todos se ponen de pié y se canta el *Aleluya* u otro canto según las exigencias del tiempo litúrgico (cf. nn. 62–64).

132. Mientras se canta el *Aleluya* u otro canto, el sacerdote, si se emplea el incienso lo pone en el incensario y lo bendice. Luego, con las manos juntas e inclinándose profundamente ante el altar, dice en secreto el *Purifica mi corazón*.

133. Después toma el Evangeliario, si éste está en el altar; y precedido por los ministros laicos, que pueden llevar el incensario y los candeleros, se acerca al ambón llevando el Evangeliario un poco elevado. Los presentes se vuelven hacia el ambón manifestando una singular reverencia hacia el Evangelio de Cristo.

134. En el ambón el sacerdote abre el libro y con las manos juntas dice: *El Señor esté con ustedes*, mientras el pueblo responde: *Y con tu espíritu*. Y enseguida: *Lectura del santo Evangelio*, haciendo la cruz sobre el libro con el pulgar, y luego sobre su propia frente, boca y pecho, lo cual hacen también todos los demás. El pueblo aclama diciendo: *Gloria a ti, Señor*. El sacerdote, si se emplea el incienso, inciensa el libro (cf. nn. 276–277). Luego proclama el Evangelio, y al final pronuncia la aclamación: *Palabra del Señor*, a la cual todos responden: *Gloria a ti, Señor Jesús*. El sacerdote besa el libro diciendo en secreto: *Las palabras del Evangelio borren nuestros pecados*.

135. Si no hay lector, el mismo sacerdote hará todas las lecturas y el salmo, estando en pie en el ambón. Allí mismo, si se emplea el incienso, lo pone en el incensario, lo bendice, y, profundamente inclinado, dice el *Purifica mi corazón*.

136. El sacerdote de pie dice la homilía desde la sede o desde el ambón, o si es oportuno desde otro lugar idóneo. Terminada la homilía se puede guardar un momento de silencio.

137. El Credo lo dice el sacerdote juntamente con el pueblo (cf. n. 68), estando todo de pie. A las palabras *y por obra del Espíritu Santo*, etcétera, todos se inclinan; pero en las solemnidades de la Anunciación y de la Natividad del Señor, todos hacen genuflexión.

138. Recitado el Símbolo, el sacerdote en pie, desde la sede, con las manos juntas, invita a los fieles a la oración universal por medio de una breve monición. Después, el diácono o el cantor o el lector u otro, desde el ambón u otro lugar conveniente, propone las intenciones al pueblo, el cual por su parte responde suplicante. Al final el sacerdote, con las manos extendidas, concluye la plegaria con una oración.

Liturgia eucarística

139. Terminada la oración universal, todos se sientan y comienza el canto del Ofertorio (cf. n. 74).

Un acólito u otro ministro laico coloca en el altar el corporal, el purificador, el cáliz, la palia y el misal.

140. Es conveniente que la participación de los fieles se manifieste en la oblación del pan y del vino para la celebración de la Eucaristía o de los dones con los que se ayude a las necesidades de la Iglesia o de los pobres.

Las ofrendas de los fieles las reciben el sacerdote ayudado por un acólito u otro ministro. El pan y el vino para la Eucaristía se llevan al sacerdote, quien los coloca sobre el altar, mientras que las demás ofrendas se colocan en sitio conveniente (cf. n. 73).

141. El sacerdote en el altar recibe la patena con el pan, y con ambas manos la eleva un poco sobre el altar mientras que dice en secreto: *Bendito seas, Señor.* Luego coloca la patena con el pan sobre el corporal.

142. A continuación, estando al lado del altar, vierte el vino y un poco de agua en el cáliz, diciendo en secreto: *El agua unida al vino,* mientras el ministro le ofrece las vinajeras. Vuelto al centro del altar, toma con ambas manos el cáliz, lo eleva un poco diciendo en secreto: *Bendito seas, Señor.* Luego coloca el cáliz sobre el corporal y, si es oportuno, lo cubre con la palia.

Pero si no hay canto en el Ofertorio o no se toca el órgano, le es lícito al sacerdote, en la presentación del pan y del vino, decir en voz alta las fórmulas de bendición, a las cuales el pueblo aclama: *Bendito seas por siempre, Señor.*

143. Dejado ya el cáliz en el altar, el sacerdote se inclina profundamente y dice en secreto: *Acepta, Señor, nuestro corazón contrito.*

144. Luego, si se emplea el incienso, el sacerdote lo pone en el incensario, lo bendice sin decir nada, e inciensa las ofrendas, la cruz y el altar. Un ministro estando al lado del altar inciensa al sacerdote y después al pueblo.

145. Después de la oración *Acepta, Señor, nuestro corazón contrito* o de la incensación, el sacerdote, en pie al lado del altar, se lava las

manos, diciendo en secreto: *Lávame, Señor,* mientras un ministro le sirve el agua.

146. Vuelto el sacerdote al centro del altar y estando de cara al pueblo, extiende y junta las manos e invita al pueblo a orar, diciéndole: *Oren, hermanos.* El pueblo se pone de pie y responde: *El Señor reciba.* Luego el sacerdote extendiendo las manos, dice la oración sobre las ofrendas. Al final el pueblo aclama: *Amén.*

147. Entonces empieza el sacerdote la Plegaria eucarística. Según las rúbricas *(cf. n. 365)* elige una de las que se encuentran en el Misal Romano, o están aprobadas por la Sede Apostólica. La Plegaria eucarística por su naturaleza exige que la recite sólo el sacerdote en virtud de la ordenación. El pueblo en cambio, se asocia al sacerdote en fe y en silencio y por medio de las intervenciones establecidas a lo largo de la Plegaria eucarística, es decir: respuestas en el diálogo del Prefacio, el *Santo,* la aclamación después de la consagración y la aclamación *Amén* después de la doxología final, como también otras aclamaciones aprobadas por la Conferencia de los Obispos y reconocidas por la Santa Sede.

Es muy conveniente que el sacerdote cante las partes de la Plegaria eucarística que tienen notas.

148. Iniciando la Plegaria eucarística, el sacerdote extiende las manos y canta o dice: *El Señor esté con ustedes,* mientras el pueblo responde: *Y con tu espíritu.* Cuando dice: *Levantemos el corazón,* levanta las manos. El pueblo responde: *Los tenemos levantado hacia el Señor.* Luego el sacerdote extendiendo las manos añade: *Demos gracias al Señor, nuestro Dios,* y el pueblo responde: *Es justo y necesario.* Después el sacerdote, extendiendo las manos sigue con el Prefacio; una vez terminado éste, junta las manos y con todos los presentes canta o dice con voz clara el *Santo* (cf. n. 79b).

149. El sacerdote prosigue la Plegaria eucarística según las rúbricas que corresponden a las diversas Plegarias eucarísticas.

Si el celebrante es un Obispo, en las Preces, después de las palabras: *con tu servidor el Papa N.,* añade: *conmigo, indigno siervo tuyo,* o después de las palabras: *de tu servidor el Papa N.,* añade: *de mí indigno siervo tuyo.* Si en cambio el Obispo celebra fuera de su diócesis, después de las palabras: *con tu servidor el Papa N.,* añade *y conmigo, indigno siervo tuyo, y con mi hermano N., Obispo de esta Iglesia de N.,* o después de las palabras: *de tu servidor el Papa N.*, añade: *de mí indigno siervo tuyo, y de mi hermano N., Obispo de esta Iglesia N.*

El Obispo diocesano, o quien se le equipara según el derecho, debe mencionarse en la siguiente forma: *con tu servidor el Papa N., con nuestro Obispo* (o bien: *Vicario, Prelado, Prefecto, Abad*) *N.*

En la Plegaria eucarística se puede mencionar a los Obispos coadjutores y auxiliares, pero no otros Obispos eventualmente presentes. Si son muchos los que se han de mencionar, se utiliza la forma general: *con nuestro Obispo N. y sus Obispos auxiliares.*

En cada Plegaria eucarística hay que adaptar dichas menciones a las reglas gramaticales.

150. Un poco antes de la consagración, el ministro, si se cree conveniente, advierte a los fieles mediante un toque de campanilla. Puede también, de acuerdo con la costumbre de cada lugar, tocar la campanilla cuando el sacerdote muestra la hostia y el cáliz a los fieles.

Si se emplea el incienso, mientras la Hostia y el cáliz son mostrados al pueblo después de la consagración, un ministro los inciensa.

151. Después de la consagración el sacerdote dice: *Éste es el Misterio de la fe* y el pueblo responde con una de las aclamaciones prescritas.

Al final de la Plegaria eucarística, el sacerdote, tomando la patena con la hostia y el cáliz y levantando ambos pronuncia la doxología: *Por Cristo, con Él y en Él.* El pueblo aclama al final: *Amén.* Después el sacerdote coloca la patena y el cáliz sobre el corporal.

152. Terminada la Plegaria eucarística, el sacerdote, con las manos juntas, hace la monición preliminar a la oración dominical, y luego lo recita juntamente con el pueblo, extendiendo las manos.

153. Concluida la oración dominical, el sacerdote, con las manos extendidas, dice él solo el embolismo: *Líbranos de todos los males;* al terminarlo, el pueblo aclama: *Tuyo es el Reino . . .*

154. A continuación el sacerdote, con las manos extendidas, dice con voz clara la oración: *Señor Jesucristo, que dijiste;* al terminarla, se vuelve hacia los fieles y, extendiendo y juntando las

manos les da la paz con estas palabras: *La paz del Señor esté siempre con ustedes.* El pueblo responde: *Y con tu espíritu.* Luego, si el caso lo pide, el sacerdote añade: *Dense fraternalmente la paz.*

El sacerdote puede dar la paz a los ministros, permaneciendo siempre en el presbiterio, para no desordenar la celebración. En las diócesis de los Estados Unidos de América, por una buena razón, en una ocasión especial (por ejemplo, en el caso de un funeral, una boda, o cuando los líderes cívicos están presentes), el sacerdote puede ofrecer el signo de la paz a unos pocos miembros de los fieles cerca del presbiterio. Y todos, según las normas establecidas por la Conferencia de los Obispos, se manifiestan mutuamente la paz y la caridad. Mientras se da la paz, se puede decir: *La paz del Señor esté siempre contigo.* A lo cual se responde: *Amén.*

155. A continuación el sacerdote toma la Hostia, la parte sobre la patena, y deja caer una partícula en el cáliz diciendo en secreto: *El Cuerpo y la Sangre.* Mientras tanto el coro y el pueblo cantan o recitan el *Cordero de Dios* (cf. n. 83).

156. Entonces el sacerdote con las manos juntas dice en secreto la oración de la Comunión: *Señor Jesucristo, Hijo de Dios vivo,* o: *Señor Jesucristo, la comunión de tu Cuerpo.*

157. Terminada la oración, el sacerdote hace genuflexión, toma la Hostia, consagrada en la misma Misa, y, teniéndola un poco elevada sobre la patena o sobre el cáliz, vuelto al pueblo, dice: *Éste es el Cordero de Dios,* y, a una con el pueblo, añade una sola vez: *Señor, no soy digno . . .*

158. Luego, de pie, vuelto hacia el altar, el sacerdote dice en secreto: *El Cuerpo de Cristo me guarde para la vida eterna,* y con reverencia consume el Cuerpo de Cristo. Después toma el cáliz diciendo en secreto: *La Sangre de Cristo me guarde para la vida eterna,* y con reverencia toma la Sangre de Cristo.

159. Mientras el sacerdote toma el sacramento, se empieza el canto de la comunión (cf. n. 86).

160. El sacerdote toma después la patena o el copón y se acerca a los que van a comulgar, los cuales ordinariamente se acercan en procesión.

No está permitido a los fieles tomar por sí mismos el Pan consagrado o el Cáliz sagrado, tanto menos pasarlo entre ellos de mano en mano. La norma para la recepción de la Sagrada Comunión en las diócesis de los Estados Unidos de América es que los fieles comulgan estando de pie. No se debe negar la Sagrada Comunión a los comulgantes por el hecho de arrodillarse para recibirla. Sin embargo, estas situaciones deben considerarse pastoralmente, ofreciéndoles a los fieles una catequesis apropiada en cuanto a las razones por esta norma.

Cuando se recibe la Sagrada Comunión, el o la comulgante se inclina la cabeza ante el Sacramento como un gesto de reverencia y recibe el Cuerpo del Señor del ministro. La hostia consagrada puede ser recibida o sea en la lengua o en la mano a discreción de cada comulgante. Cuando se recibe la Sagrada Comunión bajo las dos especies, un gesto de reverencia se hace también antes de recibir la Preciosa Sangre.

161. Si la comunión se va a efectuar sólo bajo la especie de pan, el sacerdote teniendo la Hostia un poco elevada, se la muestra a cada uno diciéndole: *El Cuerpo de Cristo.* El que va a comulgar responde: *Amén* y recibe el Sacramento en la boca, o donde está concedido, en la mano, según su elección. El que comulga, inmediatamente después de recibir la hostia la consume íntegramente.

Si la comunión se efectúa bajo las dos especies obsérvese el rito descrito en su lugar (cf. nn. 284–287).

162. En la distribución de la comunión pueden ayudar al sacerdote otros presbíteros eventualmente presentes. Si éstos no están disponibles y el número de los que van a comulgar es muy grande, el sacerdote puede pedir la ayuda de los ministros extraordinarios, es decir, el acólito legítimamente instituído o incluso otros fieles, que para esto legítimamente han sido designados[97]. En caso de necesidad, el sacerdote puede designar *ad actum* a los fieles idóneos[98].

Estos ministros no se acerquen al altar antes de que el sacerdote tome la Comunión, y siempre reciban de las manos del sacerdote celebrante el vaso que contiene las especies eucarísticas que van a ser distribuidas a los fieles.

163. Terminada la distribución de la comunión, el sacerdote, consume completamente el vino consagrado que eventualmente sobró; en cambio, las hostias consagradas sobrantes o las consume junto al altar o las traslada al lugar destinado a la reserva eucarística.

El sacerdote vuelto al altar, recoge las partículas, si las hay; luego, de pie en el altar o en la credencia, purifica la patena o el copón sobre el cáliz; después purifica el cáliz, diciendo en secreto: *Haz, Señor, que recibamos,* y lo seca con el purificador. Si los vasos fueron purificados en el altar, son llevados a la credencia por un ministro. Sin embargo, está permitido dejar en el altar o en la credencia sobre un corporal los vasos que se han de purificar, sobre todo si son muchos, cubriéndolos oportunamente y purificarlos inmediatamente después de la Misa, cuando se haya despedido al pueblo.

164. Luego el sacerdote puede regresar a su sede. Se puede observar un rato de silencio o también entonar un salmo u otro cántico de alabanza o un himno (cf. n. 88).

165. Luego, de pie junto a la sede o ante el altar, el sacerdote, vuelto al pueblo, con las manos juntas dice: *Oremos,* y con las manos extendidas recita la Oración después de la comunión, a la que puede preceder también un breve silencio, a no ser que ya se haya hecho eso después de la comunión. Al final de la oración, el pueblo aclama: *Amén.*

Rito de conclusión

166. Terminada la oración después de la comunión, háganse, si se han de hacer, breves avisos al pueblo.

167. Luego el sacerdote, extendiendo las manos, saluda al pueblo diciéndole: *El Señor esté con ustedes,* a lo que el pueblo responde: *Y con tu espíritu.* Y enseguida el sacerdote, juntando de nuevo las manos y poniendo enseguida la mano izquierda sobre el pecho y elevando la mano derecha añade: *La bendición de Dios todopoderoso* y, haciendo la señal de la cruz sobre el pueblo, prosigue: *Padre, Hijo y Espíritu Santo, descienda sobre ustedes;* todos responden: *Amén.*

En ciertos días y ocasiones, esta bendición, según las rúbricas, se enriquece utilizando una oración sobre el pueblo u otra fórmula más solemne[99].

El Obispo bendice con una fórmula adecuada haciendo tres veces la señal de la cruz sobre el pueblo.

168. Enseguida el sacerdote, con las manos juntas, añade: *Pueden ir en paz.* Y todos responden: *Demos gracias a Dios.*

169. Entonces el sacerdote, como de costumbre, venera el altar con un beso, y habiendo efectuado, con los ministros laicos, una inclinación profunda hacia el altar, se retira con ellos.

170. Si a la Misa sigue alguna otra acción litúrgica, el rito de conclusión, es decir, el saludo, bendición y despedida, se omite.

B) Misa con diácono

171. Cuando está presente en la celebración eucarística un diácono revestido con vestiduras sagradas conviene que desempeñe su propio oficio. El diácono:

a) asiste al sacerdote y está siempre a su lado;

b) en el altar lo ayuda en lo relativo al cáliz y el misal;

c) proclama el Evangelio y puede, por mandato del sacerdote celebrante, decir la homilía;

d) dirige al pueblo fiel a través de oportunas moniciones y recita las intenciones de la oración universal;

e) ayuda al sacerdote celebrante en la distribución de la Comunión y purifica y dispone los vasos sagrados;

f) si no hay ningún otro ministro, él, si es necesario, cumple los oficios de los demás ministros.

Ritos iniciales

172. Llevando el Evangeliario un poco elevado, el diácono precede al sacerdote en su camino hacia el altar. De otro modo, irá a su lado.

173. Llegado al altar, el diácono, si lleva el Evangeliario, sube al altar omitiendo la reverencia. Colocado el Evangeliario sobre el altar como es de alabar, juntamente con el sacerdote venera el altar con un beso.

Si no lleva el Evangeliario, hace una inclinación profunda hacia el altar de manera acostumbrada juntamente con el sacerdote y con él venera el altar con un beso.

Luego, si se emplea el incienso, ayuda al sacerdote a colocar el incienso y a incensar la cruz y el altar.

174. Terminada la incensación del altar, se dirige junto con el sacerdote hacia la sede, y allí permanece a su lado y le ayuda en caso de necesidad.

Liturgia de la Palabra

175. Mientras se dice el *Aleluya* u otro canto, si se ha de usar el incienso, ayuda al sacerdote a colocarlo en el incensario, luego, inclinado profundamente ante él, le pide su bendición, y en voz baja dice: *Padre, dame tu bendición.* El sacerdote le da la bendición diciendo: *El Señor esté en tu corazón.* El diácono responde: *Amén.* Luego hecha una inclinación hacia el altar, toma el Evangeliario, que está colocado sobre el altar y se dirige al ambón teniendo el libro un poco elevado, precedido por el ministro con el incensario humeante y por los ministros con los cirios encendidos. Allí saluda al pueblo, diciendo, con las manos juntas: *El Señor esté con ustedes.* Luego, al pronunciar las palabras: *Lectura del santo Evangelio,* con el pulgar marca el libro con la señal de la cruz y enseguida a sí mismo, en la frente, en la boca y en el pecho; inciensa el libro y proclama el Evangelio. Terminado esto, aclama: *Palabra del Señor.* Todos responden: *Gloria a ti, Señor Jesús.* A continuación besa con reverencia el libro diciendo al mismo tiempo en secreto: *Las palabras del Evangelio,* etcétera.

Cuando el diácono ayuda al Obispo, le lleva el libro para besarlo o él mismo lo besa, diciendo en secreto: *Las palabras del Evangelio.* En las celebraciones más solemnes el Obispo, si es oportuno, imparte al pueblo la bendición con el Evangeliario.

Luego el Evangeliario puede ser llevado a la credencia o a otro lugar conveniente y digno.

176. Si falta un lector idóneo, el diácono lee también otras lecturas.

177. Las intenciones de la oración de los fieles, después de la introducción que corresponde al sacerdote, las recita el diácono ordinariamente desde el ambón.

Liturgia eucarística

178. Terminada la oración universal, permaneciendo el sacerdote en su sede, el diácono prepara el altar con la ayuda del acólito; a éste le toca en particular tener cuidado de los sagrados vasos. Asiste también al sacerdote cuando recibe los dones del pueblo. Luego pasa al sacerdote la patena con el pan que se va a consagrar;

vierte el vino y unas gotas de agua en el cáliz, diciendo en secreto: *El agua unida al vino,* y le presenta el cáliz al sacerdote. La preparación del cáliz y la infusión del vino y del agua pueden también hacerse en la credencia. Si se emplea el incienso, el diácono ayuda al sacerdote en la incensación de las ofrendas y de la cruz y del altar, y luego él o el acólito inciensa al sacerdote y al pueblo.

179. Durante la Plegaria eucarística el diácono está en pie junto al sacerdote, un poco retirado respecto de él para ayudar, cuando hace falta, en lo relativo al cáliz o al misal.

Desde la epíclesis hasta el momento de la elevación del cáliz, el diácono ordinariamente permanece arrodillado. Si están presentes muchos diáconos, uno de ellos durante la consagración puede poner el incienso en el incensario e incensar en el momento de la elevación de la hostia y del cáliz.

180. Para la doxología final de la Plegaria eucarística, de pie al lado del sacerdote, tiene el cáliz elevado, mientras aquél eleva la patena con la hostia hasta el momento en que el pueblo haya aclamado *Amén.*

181. Una vez que el sacerdote ha dicho la oración de la paz y: *La paz del Señor sea siempre con ustedes,* y el pueblo haya respondido: *Y con tu espíritu,* el diácono, si se practica este rito, hace la invitación a la paz diciendo, con las manos juntas y dirigido hacia el pueblo: *Dense fraternalmente la paz.* Él la recibe del sacerdote y puede ofrecerla a los ministros más cercanos.

182. Terminada la comunión del sacerdote, el diácono recibe del sacerdote la Comunión bajo las dos especies, y luego ayuda al sacerdote a distribuir la comunión al pueblo. Si la comunión se da bajo las dos especies, él ofrece el cáliz a los que van comulgando y, terminada la distribución, inmediatamente consume junto al altar toda la sangre de Cristo remanente con la ayuda, si es necesario, de otros diáconos y presbíteros.

183. Terminada la comunión, el diácono vuelve al altar con el sacerdote. Recoge las partículas, si las hay, y luego lleva el cáliz y los demás vasos sagrados a la credencia, y allí los purifica y ordena como de costumbre, mientras el sacerdote ha vuelto a su sede. Sin embargo, se puede también dejar los vasos decentemente cubiertos en la credencia sobre el corporal y purificarlos inmediatamente después de la Misa, una vez despedido el pueblo.

Rito de conclusión

184. Dicha la Oración después de la comunión, el diácono da breves avisos al pueblo, si hay que darlos, a no ser que prefiera hacerlo personalmente el sacerdote.

185. Si se usa la oración sobre el pueblo o la fórmula de bendición solemne, el diácono dice: *Inclínense para recibir la bendición.* Una vez dada la bendición por el sacerdote, el diácono se encarga de despedir al pueblo, diciendo, con las manos juntas y dirigido al pueblo: *Pueden ir en paz.*

186. Luego, juntamente con el sacerdote, venera el altar besándolo, y haciendo una inclinación profunda, se retira en el mismo orden en que había llegado.

C) Funciones del acólito

187. Las funciones que el acólito puede realizar, son de diversa índole y muchos de ellos pueden ser simultáneos. Así pues, conviene repartirlos oportunamente entre varios. Cuando se dispone de un solo acólito, éste realizará las funciones más importantes, y las demás se distribuirán entre los ministros.

Ritos iniciales

188. Cuando se dirigen hacia el altar, el acólito puede llevar la cruz entre dos ministros que sostienen los cirios. Al llegar al altar, coloca verticalmente la cruz junto al altar para que se convierta en la cruz del altar o en caso contrario, la deposita en un lugar digno. Luego va a ocupar su sitio en el presbiterio.

189. Durante la celebración, el acólito se acercará al sacerdote o al diácono para entregarle el libro y para ayudarlo en todo lo que sea necesario. Por esto, en cuanto sea posible, conviene que el acólito ocupe un sitio adecuado junto a la sede o cerca del altar.

Liturgia eucarística

190. Cuando no hay diácono, terminada la oración universal, mientras el sacerdote permanece junto a la sede, el acólito pone sobre el altar el corporal, el purificador, el cáliz y el misal. A continuación, si hace falta, ayuda al sacerdote a recibir los dones del

pueblo y, a su debido tiempo, lleva al altar el pan y el vino y los presenta al sacerdote. Cuando hay incensación, le entrega el incensario al sacerdote y lo acompaña en la incensación de las ofrendas, de la cruz y del altar. Luego inciensa al sacerdote y al pueblo.

191. El acólito legítimamente instituido, en calidad de ministro extraordinario, puede ayudar al sacerdote, si es necesario, a distribuir la comunión a los fieles[100]. Cuando la comunión se distribuye bajo las dos especies, él ofrece el cáliz a los fieles, o lo sostiene cuando la comunión se reparte por intinción.

192. Terminada la comunión, el acólito debidamente instituido ayuda al sacerdote o al diácono a purificar y arreglar los vasos sagrados. En ausencia del diácono, el acólito lleva los vasos sagrados a la credencia y ahí los purifica de manera acostumbrada, los seca y ordena.

193. Acabada la celebración de la Misa, el acólito y otros ministros, juntamente con el diácono y el sacerdote se dirigen procesionalmente a la sacristía de la misma manera y orden en que habían llegado.

D) Funciones del lector

Ritos iniciales

194. Cuando se dirigen al altar y no hay diácono, el lector puede llevar el Evangeliario: en esta ocasión camina delante del sacerdote; en los demás casos, va con los otros ministros.

195. Cuando llegan al altar, junto con los demás, hace una inclinación profunda. Si lleva el Evangeliario, se acerca al altar, y coloca encima de él el Evangeliario. Luego pasa a ocupar su sitio en el presbiterio con los demás ministros.

Liturgia de la Palabra

196. Lee desde el ambón las lecturas que preceden al Evangelio. Cuando no hay cantor o salmista, puede decir el salmo responsorial que sigue a la primera lectura.

197. Después de que el sacerdote, si no hay diácono, ha hecho la invitación a orar, el lector puede enunciar desde el ambón las intenciones para la oración universal.

198. Cuando no hay canto de entrada o durante la comunión, y los fieles no recitan las antífonas indicadas en el misal, el lector pronuncia dichas antífonas a su debido tiempo (cf. nn. 48, 87).

II. MISA CONCELEBRADA

199. La concelebración, que es una apropiada manifestación de la unidad del sacerdocio, del sacrificio y de todo el pueblo de Dios, está prescrita por el mismo rito en la Ordenación del Obispo y del presbítero, en la bendición del Abad y en la Misa crismal.

Se recomienda, en cambio, a no ser que la utilidad de los fieles requiera o aconseje otra cosa:

a) en el Jueves Santo, para la Misa de la Cena del Señor;

b) en la Misa que se celebra en Concilios, Asambleas Episcopales y Sínodos;

c) en la Misa conventual y en la Misa principal en iglesias y oratorios;

d) en las Misas que se celebran en cualquier género de reuniones de sacerdotes, seculares o religiosos[101].

A cada sacerdote le está permitido celebrar la Eucaristía de manera individual, pero no cuando en el mismo templo u oratorio se lleva a cabo una concelebración. Sin embargo, el Jueves Santo en la Misa de la Cena del Señor y en la Misa de la Vigilia pascual no se permiten celebraciones sagradas individuales.

200. Los presbíteros peregrinos deben ser admitidos con gusto a la concelebración eucarística, con tal que se conozca su condición sacerdotal.

201. Donde hay un gran número de sacerdotes, la concelebración puede tenerse incluso varias veces en el mismo día, cuando lo sugiere la necesidad o la utilidad pastoral, pero debe llevarse a cabo en tiempos sucesivos o en lugares sagrados diversos[102].

202. Toca al Obispo, según las normas del derecho, ordenar la disciplina de las concelebraciones en todos los templos y oratorios de su propia diócesis.

203. Hónrese de manera particular la concelebración en la que los sacerdotes de una diócesis concelebran con el propio Obispo,

sobre todo en la Misa estacional en las grandes solemnidades del año litúrgico, en la Misa de la ordenación de un nuevo Obispo de la diócesis o su coadjutor o auxiliar, en la Misa del crisma, en la Misa vespertina de la Cena del Señor, en las celebraciones del Santo fundador de la Iglesia local o del Patrono de la diócesis, en los aniversarios del Obispo, y con ocasión del Sínodo o de la visita pastoral.

Por la misma razón, se recomienda la concelebración cuantas veces los sacerdotes se encuentran con el propio Obispo, sea con ocasión de los ejercicios espirituales o de alguna reunión. En esos casos, el signo de la unidad del sacerdocio y de la Iglesia, que es característico de toda concelebración, se manifiesta de una manera más evidente[103].

204. Por causas determinadas, para dar, por ejemplo, un mayor sentido al rito o a una fiesta, se puede dar el permiso de celebrar o concelebrar varias veces el mismo día en los siguientes casos:

a) quien el Jueves Santo ha celebrado o concelebrado en la Misa del crisma, puede también celebrar o concelebrar en la Misa vespertina de la Cena del Señor;

b) quien celebró o concelebró la Misa de la Vigilia Pascual, puede celebrar o concelebrar la Misa el día de Pascua;

c) el día de Navidad todos los sacerdotes pueden celebrar o concelebrar tres Misas, con tal de que éstas sean celebradas a su debido tiempo;

d) el día de la conmemoración de todos los fieles difuntos, con tal de que las celebraciones se realicen en momentos distintos y respetando las normas establecidas sobre la aplicación de una segunda y una tercera Misa[104];

e) quien concelebra con el Obispo o su delegado durante el Sínodo o durante la visita pastoral, o concelebra con ocasión de alguna reunión de sacerdotes, puede celebrar además otra Misa para utilidad de los fieles. Lo mismo vale, conservando la debida proporción, para las reuniones de los religiosos.

205. La Misa concelebrada se ordena en cualquiera de sus formas, según las normas de Misa celebrada individualmente, observando o cambiando lo que más abajo se indicará (cf. nn. 112–198).

206. Nunca se admita a nadie a una concelebración, una vez que ya ha empezado la Misa.

207. En el presbiterio se han de preparar:

a) asientos y textos para los sacerdotes concelebrantes;

b) en la credencia: un cáliz de tamaño suficiente o varios cálices.

208. Si no se dispone de un diácono, los oficios propios de éste los realizan algunos de los concelebrantes.

Si no se dispone de otros ministros, las partes propias a éstos pueden confiarse a otros fieles idóneos; de otro modo son realizadas por algunos de los concelebrantes.

209. Los concelebrantes, en la sacristía o en algún otro sitio conveniente, se revisten los mismos ornamentos que suelen llevar cuando celebran la Misa individualmente. Pero si hay un justo motivo, por ejemplo un número excesivo de concelebrantes o falta de ornamentos, los concelebrantes, siempre a excepción del celebrante principal, pueden suprimir la casulla, llevando solamente la estola colocada sobre el alba.

Ritos iniciales

210. Cuando todo está ya ordenado, se empieza la procesión hasta el altar. Los sacerdotes concelebrantes preceden al celebrante principal.

211. Cuando han llegado al altar, los concelebrantes y el celebrante principal, hecha la inclinación profunda, veneran el altar, besándolo, y se dirigen inmediatamente al sitio que se les ha designado. El celebrante principal, si el caso lo pide, inciensa la cruz y el altar y luego se traslada a la sede.

Liturgia de la Palabra

212. Durante la liturgia de la Palabra los concelebrantes ocupan su propio puesto y están sentados o se levantan en la misma forma que el celebrante principal.

Al iniciar el *Aleluya,* todos se ponen de pie, excepto el obispo, el cual pone incienso sin decir nada y bendice al diácono o, si no lo hay, al concelebrante que va a proclamar el Evangelio. En la concelebración presidida por un presbítero, el concelebrante que, por no haber diácono, proclama el Evangelio, no pide ni recibe la bendición del celebrante principal.

213. La homilía la tendrá regularmente el celebrante principal o uno de los concelebrantes.

Liturgia eucarística

214. La preparación de los dones (cf. nn. 139–145) la hace solamente el celebrante principal, permaneciendo mientras tanto los demás concelebrantes en sus puestos.

215. Pronunciada por el celebrante principal la oración sobre las ofrendas, los concelebrantes se acercan al altar y se disponen en pie alrededor de él, de tal modo que no impidan la marcha de los ritos que han de hacerse y permitan a los fieles ver claramente el desarrollo de la acción sagrada, y no cerrando el paso al diácono cuando, por razón de su ministerio, debe acercarse al altar.

El diácono debe ejercer su ministerio junto al altar con respecto al cáliz y al misal. Sin embargo, en lo posible, debe de colocarse un poco atrás de los sacerdotes concelebrantes, los cuales se colocan cerca del celebrante principal.

Modo de decir la Plegaria eucarística

216. El Prefacio lo canta o dice solamente el celebrante principal. En cambio, el *Santo* lo cantan o recitan todos juntos, con el pueblo y los cantores.

217. Terminado el *Santo,* los concelebrantes prosiguen la Plegaria eucarística en la forma que enseguida se describe. Los ademanes los hace únicamente el celebrante principal, si no se indica lo contrario.

218. Los textos que se pronuncian por todos los concelebrantes a una, y sobre todo las palabras de la consagración, que todos están obligados a decir, se deben recitar en voz baja para que se pueda oír distintamente la voz del celebrante principal. De este modo el pueblo percibe mejor el texto.

Los textos que deben ser recitados por todos los concelebrantes simultáneamente, y que en el Misal tienen notas, loablemente se ejecutan cantando.

Plegaria eucarística I o Canon romano

219. En la Plegaria eucarística I, o Canon romano, *Padre misericordioso* lo dice sólo el celebrante principal, con las manos extendidas.

220. *Acuérdate, Señor* y *Reunidos en comunión* conviene confiar individualmente a uno u otro de los concelebrantes, que dice estas oraciones solo, con las manos extendidas y en voz alta.

221. *Acepta, Señor, en tu bondad,* lo dice solamente el celebrante principal, con las manos extendidas.

222. Desde *Bendice y santifica, oh Padre,* hasta *Te pedimos humildemente, Dios todopoderoso,* el celebrante principal hace ademanes y todos los concelebrantes a una, lo dicen todo, de este modo:

a) *Bendice y santifica, oh Padre,* con las manos extendidas hacia las ofrendas;

b) *El cual, la víspera de su Pasión* y el *Del mismo modo,* con las manos juntas;

c) Las palabras del Señor, si el gesto parece conveniente, con la mano derecha extendida hacia el pan y hacia el cáliz; miran la hostia y el cáliz cuando el celebrante principal los muestra a los fieles y luego se inclinan profundamente.

d) *Por eso, Padre, nosotros tus siervos* y *Mira con ojos de bondad,* con las manos extendidas;

e) *Te pedimos humildemente,* inclinados y con las manos juntas, hasta llegar a las palabras *al participar aquí de este altar.* Inmediatamente se enderezan, haciendo sobre sí la señal de la cruz, mientras pronuncian las restantes palabras: *seamos llenos de gracia y bendición.*

223. La intercesión por los difuntos y la oración *Y a nosotros, pecadores,* conviene confiar a uno u otro de los concelebrantes, quien lo dice solo, con las manos extendidas y en voz alta.

224. A las palabras *Y a nosotros, pecadores,* todos los concelebrantes se golpean el pecho.

225. *Por Cristo, Señor nuestro, por quien sigues creando,* lo dice solamente el celebrante principal.

Plegaria eucarística II

226. En la Plegaria eucarística II el *Santo eres en verdad,* lo dice solamente el celebrante principal con las manos extendidas.

227. Desde *Por eso te pedimos que santifiques,* hasta, *Te pedimos humildemente,* lo dicen a una todos los concelebrantes de este modo:

a) *Por eso te pedimos que santifiques,* con las manos extendidas hacia las ofrendas;

b) *El cual, cuando iba a ser entregado a su Pasión* y *Del mismo modo,* con las manos juntas;

c) Las palabras del Señor, si el gesto parece conveniente, con la mano derecha extendida hacia el pan y hacia el cáliz; miran la hostia y el cáliz cuando el celebrante principal los muestra a los fieles y luego se inclinan profundamente;

d) *Así pues, Padre, al celebrar ahora,* y *Te pedimos humildemente,* con las manos extendidas.

228. Las intercesiones por los vivos: *Acuérdate, Señor* y por los difuntos: *Acuérdate también de nuestros hermanos,* conviene se confíen a uno u otro de los concelebrantes quien las pronuncia solo y con las manos extendidas.

Plegaria eucarística III

229. En la Plegaria eucarística III, el *Santo eres en verdad* lo dice sólo el celebrante principal con las manos extendidas.

230. Desde: *Por eso, Señor, te suplicamos,* hasta: *Dirige tu mirada,* lo dicen a una todos los concelebrantes de esta manera:

a) *Por eso, Padre, te suplicamos,* con las manos extendidas hacia las ofrendas;

b) *Porque él mismo, la noche en que iba a ser entregado* y *Del mismo modo,* con las manos juntas;

c) Las palabras del Señor, si el gesto parece conveniente, con la mano derecha extendida hacia el pan y hacia el cáliz; miran la hostia y el cáliz cuando el celebrante principal los muestra a los fieles y luego se inclinan profundamente;

d) *Así, pues, Padre* y *Dirige tu mirada,* con las manos extendidas.

231. Las intercesiones *Que él nos transforme* y *Te pedimos, Padre, que esta Víctima* conviene se confíen a uno u otro de los concelebrantes, que las dice él sólo con las manos extendidas y en voz alta.

Plegaria eucarística IV

232. En la Plegaria eucarística IV, desde: *Te alabamos, Padre santo,* hasta: *Llevando a plenitud su obra en el mundo,* lo dice solamente el celebrante principal con las manos extendidas.

233. Desde: *Por eso, Padre, te rogamos,* hasta: *Dirige tu mirada* lo dicen todos los concelebrantes a una del modo siguiente:

a) *Por eso, Padre, te rogamos,* con las manos extendidas hacia las ofrendas;

b) *Porque él mismo, llegada la hora* y *Del mismo modo,* con las manos juntas;

c) Las palabras del Señor, si el gesto parece conveniente, con la mano derecha extendida hacia el pan y hacia el cáliz; miran la hostia y el cáliz cuando el celebrante principal los muestra a los fieles y luego se inclinan profundamente;

d) *Por eso, Padre, al celebrar,* y *Dirige tu mirada,* con las manos extendidas.

234. Las intercesiones: *Y ahora, Señor, acuérdate de todos aquéllos,* conviene se confíen a uno u otro de los concelebrantes, que las pronunciará él solo con las manos extendidas, y en voz alta.

235. En lo que se refiere a las otras Plegarias eucarísticas aprobadas por la Sede Apostólica, han de observarse las normas establecidas para cada una de ellas.

236. La doxología final de la Plegaria eucarística la pronuncia solamente el celebrante principal y, si parece bien, con los demás concelebrantes, pero no la dicen los fieles.

Rito de Comunión

237. Luego el celebrante principal, con las manos juntas, pronuncia la monición que precede a la oración dominical, y enseguida,

con las manos extendidas y a una con los demás concelebrantes, quienes también extienden las manos, y con el pueblo, dice la misma oración dominical.

238. *Líbranos de todos los males, Señor,* lo dice sólo el celebrante principal, con las manos extendidas. Todos los concelebrantes, a una con el pueblo, pronuncian la aclamación final, *Tuyo es el Reino.*

239. Después de la monición del diácono o, en su ausencia, de uno de los concelebrantes, que invita, *Dense fraternalmente la paz,* todos se dan la paz: los que quedan más cerca del celebrante principal la reciben de él antes que el diácono.

240. Mientras se dice el *Cordero de Dios,* los diáconos o algunos de los concelebrantes pueden ayudar al celebrante principal a partir las Hostias, sea para la comunión de los mismos concelebrantes, sea para el pueblo.

241. Después de dejar caer una parte de la Hostia en el Vino, sólo el celebrante principal dice en secreto con las manos juntas la oración *Señor Jesucristo, Hijo de Dios vivo* o bien *Señor Jesucristo, la comunión de tu Cuerpo.*

242. Terminada la oración para la comunión, el celebrante principal hace genuflexión y se retira un poco. Los concelebrantes uno tras otro, se van acercando al centro del altar, hacen genuflexión y toman del altar, con reverencia, el Cuerpo de Cristo; teniéndolo luego en la mano derecha y poniendo la izquierda bajo ella, se retiran a sus puestos. Pueden también permanecer los concelebrantes en sus sitios y tomar el Cuerpo de Cristo de la patena que el celebrante principal, o uno o varios de los concelebrantes, sostienen, pasando ante ellos o entregándoles sucesivamente la patena hasta llegar al último.

243. Luego el celebrante principal toma la Hostia consagrada en la misma Misa, y teniéndola un poco elevada sobre la patena, o sobre el cáliz, vuelto al pueblo dice: *Éste es el Cordero de Dios,* y prosigue con los concelebrantes y el pueblo diciendo: *Señor, no soy digno.*

244. A continuación, el celebrante principal, vuelto al altar, dice en secreto: *El Cuerpo de Cristo me guarde para la vida eterna,* y toma reverentemente el Cuerpo de Cristo. De modo análogo proceden los demás concelebrantes comulgando ellos mismos.

Tras ellos, el diácono recibe del celebrante principal el Cuerpo y la Sangre del Señor.

245. La Sangre del Señor se puede tomar o del cáliz directamente o por intinción o con una caña o una cucharita.

246. Si la comunión se recibe bebiendo directamente del cáliz, se puede emplear uno de estos modos:

a) El celebrante principal, estando en el centro del altar, toma el cáliz y dice en secreto: *La Sangre de Cristo me guarde para la vida eterna,* y toma un poco del Vino consagrado, pasando enseguida el cáliz al diácono o a uno de los concelebrantes. Después distribuye la comunión a los fieles (cf. nn. 160–162).

   Los concelebrantes, uno tras otro, o de dos en dos, si se usan dos cálices, se acercan al altar, hacen genuflexión, toman del vino consagrado, secan la orilla del cáliz y regresan a sus asientos.

b) El celebrante principal toma la Sangre del Señor estando en pie, según costumbre, en el centro del altar.

   Los concelebrantes pueden tomar la Sangre del Señor o bien permaneciendo en sus puestos y bebiendo del cáliz que el diácono o uno de los concelebrantes les irá pasando, o también pasándose uno a otro el cáliz. El cáliz lo purifica o el último que bebe o el que lo está pasando a los demás. Uno a uno, según van comulgando, se retiran a su lugar.

247. El diácono consume junto al altar reverentemente toda la Sangre de Cristo que sobró, si es necesario ayudado por algunos concelebrantes, y traslada el cáliz a la credencia y ahí él mismo o un acólito legítimamente instituido lo purifica, lo seca y lo cubre como de costumbre (cf. n. 183).

248. La comunión de los concelebrantes también puede ordenarse de esta manera: de uno en uno, toman en el altar el Cuerpo e inmediatamente después la Sangre del Señor.

En este caso, el celebrante principal recibe primero la comunión bajo las dos especies de la manera acostumbrada (cf. n. 158), siguiendo, sin embargo, para beber del cáliz, la misma forma que se haya escogido para los demás.

Terminada la comunión del celebrante principal, el cáliz se deja sobre el lado del altar, sobre otro corporal. Los concelebrantes van pasando uno tras otro al centro del altar, hacen genuflexión y comulgan del Cuerpo del Señor; pasan después al lado del altar y toman la Sangre del Señor, según el rito escogido para esta comunión, como fue dicho.

La comunión del diácono y la purificación del cáliz se efectúan en la forma anteriormente indicada.

249. Si la comunión de los concelebrantes se hace por intinción, el celebrante principal toma, de la manera acostumbrada, el Cuerpo y Sangre del Señor, teniendo cuidado de que quede en el cáliz suficiente cantidad de Sangre del Señor, para la comunión de los concelebrantes. Entonces el diácono, o uno de los concelebrantes, coloca el cáliz en el centro del altar o a un lado, sobre otro corporal, juntamente con la patena que contiene las partículas de hostias.

Los concelebrantes, uno tras otro, se acercan al altar, hacen genuflexión, toman su partícula, la mojan parcialmente en el cáliz y, poniendo debajo un purificador, la llevan a la boca y consumen. Después se retiran a sus puestos, como al comienzo de la Misa.

Toma también la comunión por intinción el diácono, que responde: *Amén,* al concelebrante, cuando le dice: *El Cuerpo y la Sangre de Cristo.* El diácono, ayudado si es necesario por algunos de los concelebrantes, consume junto al altar toda la Sangre del Señor que ha sobrado, traslada el cáliz a la credencia y ahí él o un acólito instituido debidamente lo purifica, lo seca y lo cubre como de costumbre.

Rito de conclusión

250. Todo lo que queda hasta el fin de la Misa lo hace del modo acostumbrado (cf. nn. 166–169) el celebrante principal, quedando los otros concelebrantes en sus puestos.

251. Antes de retirarse del altar, los concelebrantes le hacen una inclinación profunda. El celebrante principal lo venera también besándolo como de costumbre.

III. MISA EN LA CUAL ASISTE UN SOLO MINISTRO

252. En la Misa celebrada por el sacerdote, al que sólo asiste y responde un ministro, ha de observarse el rito de la Misa con el

pueblo (cf. nn. 120–169), tomando el ministro, en cada momento, las partes del pueblo.

253. Si el ministro es un diácono, éste desempeña sus oficios propios (cf. nn. 171–186), como también las otras partes del pueblo.

254. La celebración sin ministro o al menos un fiel no se haga sino por justa y razonable causa. En este caso se omiten los saludos, las moniciones y la bendición al fin de la Misa.

255. Los vasos necesarios se preparan antes de la Misa, o en la credencia, o sobre el mismo altar al lado derecho.

Ritos iniciales

256. EL sacerdote se acerca al altar y, habiendo hecho, junto con el ministro, una inclinación profunda, venera el altar con un beso y va a la sede. Si lo prefiere, el sacerdote puede permanecer junto al altar; en este caso, allí también habrá que prepara el misal. Entonces, el ministro o el sacerdote dice la antífona de entrada.

257. Luego, el sacerdote, junto con el ministro, de pie, se santigua y dice: *En el nombre del Padre;* y vuelto el ministro, lo saluda, eligiendo para eso una de las fórmulas propuestas.

258. Luego se hace el acto penitencial y, según las rúbricas, se dice el *Kyrie* y el *Gloria.*

259. Luego, juntando las manos, dice: *Oremos,* y después de una pausa conveniente, recita con las manos extendidas la Oración Colecta. Al fin el ministro responde: *Amén.*

Liturgia de la Palabra

260. Las lecturas, en la medida de lo posible, se proclaman desde el ambón o el púlpito.

261. Dicha la Colecta, el ministro lee la primera lectura y el salmo, y cuando se ha de decir, también la segunda lectura, seguida por el verso del *Aleluya* o por algún canto.

262. Luego, el sacerdote inclinado profundamente, dice: *Purifica mi corazón* y lee luego el Evangelio. Al final dice: *Palabra del*

Señor, a lo que el ministro responde: *Gloria a ti, Señor Jesús.* Enseguida el sacerdote venera el libro besándolo y diciendo en secreto: *Las palabras del Evangelio borren nuestros pecados.*

263. El sacerdote a continuación, según las rúbricas, recita, juntamente con el ministro el Credo.

264. Sigue la oración universal, que también puede decirse en esta Misa. El sacerdote introduce y concluye la oración, el ministro, en cambio, dice las intenciones.

Liturgia eucarística

265. En la liturgia eucarística todo se realiza como en la Misa con el pueblo, a excepción de lo que sigue.

266. Terminada la aclamación al fin del embolismo, que sigue a la oración dominical, el sacerdote dice la oración: *Señor Jesucristo, que dijiste;* y luego añade: *La paz del Señor esté siempre con ustedes,* a lo que el ministro responde: *Y con tu espíritu.* Si parece conveniente, el sacerdote puede dar la paz al ministro.

267. Luego, mientras con su ministro dice: *Cordero de Dios,* el sacerdote parte la hostia sobre la patena. Terminado el *Cordero de Dios,* deja caer la partícula, diciendo en secreto: *El Cuerpo y la Sangre.*

268. Después de la mezcla el sacerdote dice en secreto la oración: *Señor Jesucristo, Hijo de Dios vivo,* o bien: *Señor Jesucristo, la comunión de tu Cuerpo;* después hace genuflexión, toma la hostia y, si el ministro va a recibir la comunión, volviéndose a él y teniendo la hostia un poco elevada sobre la patena o el cáliz, dice: *Éste es el Cordero de Dios;* y, juntamente con el ministro, dice: *Señor, no soy digno.* A continuación, vuelto al altar, recibe el Cuerpo de Cristo. Si el ministro no recibe la comunión, una vez hecha la genuflexión, el sacerdote toma la hostia y vuelto al altar, dice en secreto: *Señor, no soy digno,* y *El Cuerpo de Cristo me guarde* y toma el Cuerpo de Cristo. Después toma el cáliz y dice en secreto: *La Sangre de Cristo me guarde* y consume la Sangre de Cristo.

269. Antes de dar la Comunión al ministro, el ministro o el mismo sacerdote dice la antífona de la Comunión.

270. El sacerdote purifica el cáliz en la credencia o en el altar o en la credencia. Si el cáliz es purificado en el altar, puede ser llevado por el ministro a la credencia o dejado sobre el mismo altar a un lado.

271. Terminada la purificación del cáliz, es oportuno que el sacerdote observe una pausa de silencio; a continuación dice la Oración después de la comunión.

Rito de conclusión

272. El rito de despedida se hace como en la Misa con el pueblo, omitiendo, sin embargo: *Pueden ir en paz.* El sacerdote como de costumbre venera el altar besándolo y, hecha una inclinación profunda con el ministro, se retira.

IV. ALGUNAS NORMAS GENERALES PARA TODAS LAS FORMAS DE MISAS

Veneración del altar y del Evangeliario

273. Según la costumbre tradicional, la veneración del altar y del Evangeliario se expresa con el beso. Sin embargo, donde esta señal exterior no concuerda con las tradiciones o carácter de alguna región, toca a la Conferencia de los Obispos determinar otro signo en su lugar, con el consentimiento de la Sede Apostólica.

Genuflexión e inclinación

274. La genuflexión, que se efectúa doblando la rodilla derecha hasta la tierra, significa la adoración. Por tanto está reservada al Santísimo. Sacramento y a la Santa Cruz a partir de la solemne adoración en la Liturgia del Viernes Santo hasta el inicio de la Vigilia pascual.

En la Misa, el sacerdote celebrante hace tres genuflexiones: después de mostrar a los fieles tanto la hostia como el cáliz, y antes de la comunión. Las particularidades que se deben observar en la Misa concelebrada se encuentran anotadas en los nn. 210–251.

Si el tabernáculo con el Santísimo Sacramento está en el presbiterio, el sacerdote, el diácono y los demás ministros hacen genuflexión cuando llegan al altar y cuando se retiran de él, pero no durante la celebración de la Misa.

De otro modo hacen genuflexión todos los que pasan ante el Santísimo Sacramento, a menos que avancen procesionalmente.

Los ministros que llevan la cruz procesional o los cirios, en lugar de la genuflexión, hacen una inclinación con la cabeza.

275. La inclinación expresa la reverencia y el honor que se hace a las personas mismas o a sus signos. Hay dos clases de inclinación: con la cabeza y con el cuerpo.

a) La inclinación de la cabeza se hace cuando se nombran juntas las tres Divinas Personas y al pronunciar el nombre de Jesús, de la santísima Virgen María y del Santo en cuyo honor se dice la Misa.

b) La inclinación del cuerpo, o inclinación profunda, se hace: al altar; a las oraciones: *Purifica, Señor, mi corazón* y *Acepta, Señor, nuestro corazón contrito*; en el Credo, a las palabras: *y por obra del Espíritu Santo,* etcétera; en el Canon romano, al decir la oración: *Te pedimos humildemente.* La misma inclinación la hace el diácono cuando pide la bendición antes de proclamar el Evangelio. El sacerdote se inclina además un poco cuando, durante la consagración, pronuncia las palabras del Señor.

Incensación

276. La incensación significa la reverencia y la oración, como viene expresado en la Sagrada Escritura (cf. Sal 140, 2; Ap 8, 3).

El incienso puede libremente usarse en cualquier forma de Misa:

a) durante la procesión de entrada;

b) al comienzo de la Misa, para incensar la cruz y el altar;

c) para la procesión y proclamación del Evangelio;

d) colocados sobre el altar el pan y el vino, para incensar las ofrendas, la cruz y el altar, como también al sacerdote y al pueblo;

e) en el momento de la elevación de la Hostia y el cáliz, después de la consagración.

277. El sacerdote pone el incienso en el incensario y lo bendice con un signo de cruz, sin añadir más.

Antes y después de la incensación se debe hacer una inclinación profunda hacia la persona u objeto que se inciensa, exceptuando el altar y las ofrendas para la Misa.

Se inciensan con tres movimientos del incensario: el Santísimo Sacramento, la reliquia de la Santa Cruz y las imágenes del Señor expuestas a la veneración pública, las ofrendas para el sacrificio de la Misa, la cruz del altar, el Evangeliario, el cirio pascual, el sacerdote y el pueblo.

Con dos movimientos del incensario se inciensan las reliquias e imágenes de los Santos expuestas a la veneración pública y, sólo únicamente al inicio de la celebración, después de que se inciensa el altar.

La incensación del altar se hace con movimientos sencillos del incensario de esta manera:

a) si el altar está separado de la pared, el sacerdote lo inciensa dándole la vuelta;

b) si el altar no está separado del muro, el sacerdote, mientras pasa, inciensa primero la parte derecha, luego la parte izquierda del altar.

Si la cruz está sobre el altar o junto a él, se inciensa antes que el mismo altar. De otro modo, el sacerdote la incensará cuando pase ante ella.

El sacerdote inciensa las ofrendas antes de la incensación de la cruz y del altar, con tres movimientos del incensario o trazando una señal de la cruz sobre las ofrendas.

Purificaciones

278. Cuantas veces algún fragmento de la Hostia quede adherido a los dedos, sobre todo después de la fracción o de la comunión a los fieles, el sacerdote debe limpiar los dedos sobre la patena, y si es necesario, lavarlos. En modo análogo, si quedan fragmentos fuera de la patena, los recoge.

279. El sacerdote, el diácono o el acólito instituido purifica los vasos sagrados, después de la comunión o después de la Misa, si es posible, en la credencia. La purificación del cáliz se hace con agua o con agua y vino, que tomará quien haya purificado el cáliz. La patena se limpia con el purificador, como es costumbre.

Se debe procurar que lo que sobra eventualmente de la Sangre de Cristo, después de la distribución de la comunión, se consuma inmediata y completamente.

280. Si la Hostia o alguna otra partícula llega a caerse, tómese con reverencia. Si cae algo del vino consagrado, el sitio en que cae lávese con agua y luego échese esta agua en la piscina colocada en la sacristía.

Comunión bajo las dos especies

281. La Comunión tiene sentido de signo más pleno cuando se hace bajo las dos especies. Ya que en esa forma es donde más perfectamente se manifiesta el signo del banquete eucarístico, y se expresa más claramente la voluntad divina con que se ratifica en la Sangre del Señor el nuevo y eterno pacto, y se ve mejor la relación entre el banquete eucarístico y el banquete escatológico en el Reino del Padre[105].

282. Procuren los sagrados pastores recordar a los fieles que participan en el rito o intervienen en él, y en el modo que más adecuado resulte, la doctrina católica sobre estas formas de la sagrada comunión, según el Concilio Ecuménico Tridentino. Amonesten, en primer lugar, a los fieles que la fe católica enseña que, aun bajo una sola de las dos especies, cualquiera que sea, está Cristo entero, y que se recibe un verdadero sacramento, y que, por consiguiente, por lo que toca a los frutos de la comunión, no se priva de ninguna de las gracias necesarias a la salvación al que sólo recibe una sola especie[106].

Enseñen, además, que la Iglesia tiene poder, en lo que toca a la administración de los sacramentos, de determinar o cambiar, dejando siempre intacta su sustancia, lo que cree más oportuno para ayudar a los fieles en su veneración y en la utilidad de quien los recibe, según las variedades de circunstancias, tiempos y lugares[107]. Y adviértanles al mismo tiempo que se interesen en participar con el mayor empeño en el sagrado rito, en que más plenamente brilla el signo del banquete eucarístico.

283. La comunión bajo las dos especies, además de los casos contemplados en los rituales, se permite:

a) a los sacerdotes que no pueden celebrar o concelebrar la Misa;

b) al diácono y los demás que desempañan algún oficio en la Misa;

c) a los miembros de las comunidades en la Misa conventual o en la llamada "de comunidad", a los alumnos de los seminarios, a todos los que hacen los ejercicios espirituales o participan en alguna reunión espiritual o pastoral.

El Obispo diocesano puede definir las normas acerca de la Comunión bajo las dos especies para su diócesis, que deberán observarse incluso en las iglesias de los religiosos y en las Misas de grupos pequeños. Al mismo Obispo se le concede la facultad de permitir la Comunión bajo las dos especies cada vez que al sacerdote a quien le está encomendada la comunidad como pastor propio le parezca oportuno, con tal de que los fieles estén bien instruidos y no haya ningún peligro de profanación del Sacramento, o se dificulte el rito, por el gran número de los participantes o por otra causa.

En cuanto a la manera de distribuir a los fieles la Sagrada Comunión bajo las dos especies, las *Normas para la Distribución y Recepción de la Sagrada Comunión bajo las Dos Especies en las Diócesis de los Estados Unidos de América* deben observarse (ver nn. 27–54).

284. Cuando la Comunión se distribuye bajo las dos especies:

a) del cáliz se ocupa ordinariamente el diácono o, en su ausencia, el presbítero; o incluso un acólito legítimamente instituido u otro ministro extraordinario de la sagrada Comunión; o un fiel, al cual, en caso de necesidad, se confía este servicio *ad actum*;

b) lo que eventualmente sobra de la Sangre de Cristo es consumido junto al altar por el sacerdote o por el diácono o por un acólito debidamente instituido, que se ocupó del cáliz y de manera acostumbrada purifica los vasos sagrados, los seca y ordena.

A los fieles que eventualmente quieren comulgar bajo la sola especie del pan, se debe dar la sagrada Comunión de esta manera.

285. Para distribuir la comunión bajo las dos especies prepárense:

a) si la Comunión se hace bebiendo directamente del cáliz, un cáliz de tamaño suficiente, o varios cálices, pero siempre de tal manera que no sobre demasiada cantidad de la Sangre de Cristo para tomar al final de la celebración;

b) si la Comunión bajo las dos especies se va a dar por intinción, téngase cuidado que las hostias no sean ni demasiado delgadas ni demasiado pequeñas, sino un poco más gruesas de lo normal, para que, mojadas parcialmente con la Sangre de Cristo, se puedan distribuir cómodamente.

286. Si la Comunión de la Sangre se realiza bebiendo del cáliz, el que comulga, después que recibió el Cuerpo de Cristo, pasa ante el ministro del cáliz y espera de pie. El ministro dice: *La Sangre de Cristo*; y el que comulga responde: *Amén*. El ministro le acerca el cáliz y el que comulga lo lleva con sus manos a la boca. El que comulga bebe un poquito del cáliz, lo restituye al ministro y se retira; el ministro limpia la parte externa del cáliz con un purificador.

287. Si la Comunión del cáliz se realiza por intinción, el que comulga, teniendo la patena bajo la boca, se acerca al sacerdote, que tiene el vaso con las sagradas partículas y a cuyo lado está el ministro que tiene el cáliz. El sacerdote toma una Hostia, la moja parcialmente en el cáliz y, elevándola, dice: *El Cuerpo y la Sangre de Cristo*; el que comulga responde: *Amén*, recibe del sacerdote el sacramento y se retira.

CAPÍTULO V
Disposición y ornato de las iglesias para la celebración eucarística

I. PRINCIPIOS GENERALES

288. Para la celebración de la Eucaristía el pueblo de Dios se congrega generalmente en la iglesia, o cuando no la hay o resulta insuficiente, en algún lugar honesto que parezca digno de tan gran misterio. Las iglesias, por consiguiente, y los demás sitios sean aptos para la realización de la acción sagrada y para que se obtenga una activa participación de los fieles. El mismo edificio sagrado y los objetos que pertenecen al culto divino sean, en verdad, dignos y bellos, signos y símbolos de las realidades celestiales[108].

289. De ahí que la Iglesia busca siempre el noble servicio de las artes, y acepta toda clase de signos artísticos de los diversos pueblos y regiones[109]. Más aún, así como se esfuerza por conservar las obras de arte y los tesoros elaborados en siglos pretéritos[110] y, en cuanto

es necesario, adaptarlos a las nuevas necesidades, trata también de promover las nuevas formas de arte adaptadas a cada tiempo[111].

Por eso, al dar una formación a los artistas y aceptar las obras destinadas a la iglesia, búsquese un auténtico valor artístico que sirva de alimento a la fe y a la piedad y responda auténticamente al significado y fines para los que se destina[112].

290. Todas las iglesias han de dedicarse o por lo menos de bendecirse. En cambio las Catedrales y las iglesias parroquiales deben dedicarse con un rito solemne.

291. Para la construcción, reconstrucción y adaptación de las iglesias, los que están interesados en ello consulten a la Comisión Diocesana de Sagrada Liturgia y de Arte Sacro. El mismo Ordinario del lugar sírvase del consejo y ayuda de esa Comisión, siempre que se trate de dar normas en este campo o de aprobar los planos de nuevos edificios o de dar un parecer sobre cuestiones de cierta importancia[113].

292. La ornamentación de la iglesia busque más una noble sencillez que la pomposa ostentación. Y en la elección de los materiales ornamentales, mírese la autenticidad procurando que contribuyan a la formación de los fieles y a la dignidad de todo el lugar.

293. Una oportuna disposición de la iglesia y de todo su ambiente, que responda bien a las necesidades de nuestro tiempo, requiere que no sólo se mire en ella a lo que directamente pertenece a la celebración de la acción sagrada, sino que se prevea, además, todo lo que ayuda a la comodidad de los fieles, lo mismo que se tiene en cuenta en los sitios normales de reunión.

294. El pueblo de Dios que se congrega para la Misa, tiene en sí una coherente y jerárquica ordenación que se expresa en la diversidad de ministerios y de acción en las diversas partes de la celebración. Por consiguiente, la disposición general del edificio sagrado conviene que se haga como una imagen de la asamblea reunida, que permita un proporcionado orden de todas sus partes y que favorezca la perfecta ejecución de la tarea de cada uno.

Los fieles y el coro de cantores ocuparán, por consiguiente, el lugar que pueda hacer más fácil su activa participación[114].

El sacerdote celebrante, el diácono y otros ministros ocuparán un puesto en el presbiterio. Ahí mismo se prepararán las sillas para los concelebrantes; pero si su número es muy grande, se prepararán las sillas en otra parte de la iglesia, pero cerca del altar.

Todo esto, aun cuando, por una parte, debe expresar la disposición jerárquica y la diversidad de ministerios, debe también, por otra, constituir una unidad íntima y coherente, a través de la cual se vea con claridad la unidad de todo el pueblo santo. La naturaleza y belleza del lugar y de todos los utensilios sagrados sea capaz de fomentar la piedad y mostrar la santidad de los misterios que se celebran.

II. DISPOSICIÓN DEL PRESBITERIO PARA LA SAGRADA REUNIÓN

295. El presbiterio es el lugar en que se encuentra el altar, se proclama la Palabra de Dios, y donde el sacerdote, el diácono y otros ministros desempañan su oficio. El presbiterio debe quedar diferenciado respecto a la nave de la iglesia, sea por su diversa elevación, sea por una estructura y ornato peculiar. Sea de tal capacidad que en él pueda cómodamente desarrollarse y ser vista la celebración de la Eucaristía[115].

Altar y su ornato

296. El altar, en el que se hace presente el Sacrificio de la cruz bajo los signos sacramentales, es también la mesa del Señor, para participar en la cual, el pueblo de Dios se congrega en la Misa; y es el centro de la acción de gracias que se realiza por la Eucaristía.

297. La celebración de la Eucaristía en lugar sagrado debe hacerse sobre un altar; fuera del lugar consagrado puede también celebrarse sobre una mesa decente, usándose siempre el mantel, el corporal, el crucifijo y los candeleros.

298. Conviene que en cada iglesia haya un altar fijo, que más clara y permanentemente significa a Jesucristo, la Piedra viva (1 Pe 2, 4; cf. Ef 2, 20). En los demás lugares, dedicados a las sagradas celebraciones, el altar puede ser móvil.

Un altar se llama fijo cuando está construido sobre el pavimento de manera que no se pueda mover; móvil, si se puede trasladar.

299. Constrúyase el altar separado de la pared, de modo que se le pueda rodear fácilmente y la celebración se pueda hacer de cara al

pueblo. Conviene hacer esto siempre que sea posible. El altar ocupe el lugar que sea de verdad el centro hacia el que espontáneamente converja la atención de toda la asamblea de los fieles[116]. El altar mayor ordinariamente será fijo y dedicado.

300. El altar, ya sea fijo o móvil, debe dedicarse según el rito descrito en el Pontifical romano; pero el altar móvil puede ser bendecido solamente.

301. Según la tradición y el significado de la Iglesia, la mesa del altar fijo sea de piedra verdaderamente natural. No obstante, en las diócesis de los Estados Unidos de América, puede utilizarse madera que sea digna, sólida y bien esculpida con tal de que el altar sea estructuralmente inmóvil. Los soportes o la base para sostener la mesa, sin embargo, pueden ser hechos de cualquier clase de material, con tal de que sea digno y sólido.

El altar móvil puede construirse con cualquier clase de materiales, nobles y sólidos, convenientes al uso litúrgico, según las diversas tradiciones y costumbres de los pueblos.

302. Consérvese oportunamente el uso de poner bajo el altar que se va a dedicar reliquias de santos, aunque no sean mártires. Cuídese con todo de que conste con certeza de la autenticidad de tales reliquias.

303. Al construir las nuevas iglesias conviene que se erija un único altar, que significará en la asamblea de los fieles al único Cristo y a la única Eucaristía de la Iglesia.

En las iglesias ya construidas, donde el altar antiguo está situado de manera que hace difícil la participación del pueblo y no puede trasladarse sin el menoscabo del valor artístico, se deberá construir otro altar fijo, hecho con arte y legítimamente dedicado, y sólo sobre éste se realizarán las celebraciones sagradas. Para no distraer la atención de los fieles del nuevo altar, no se adorne el altar antiguo de manera especial.

304. Por reverencia a la celebración del memorial del Señor y al banquete en que se distribuye el Cuerpo y Sangre del Señor, póngase sobre el altar, donde se celebra, por lo menos un mantel de color blanco, que, en forma, medida y ornamentación, cuadre bien con la estructura del mismo altar. Cuando, en las diócesis de los Estados Unidos de América, se utilizan otros ornamentos en

adición a los manteles propios del altar, en aquella ocasión, esos manteles pueden ser de otros colores poseyendo el espíritu honorífico cristiano o el significado de la festividad de acuerdo con la antigua tradición local, con tal de que el mantel superior cubriendo la superficie de la *mensa* (es decir, el mantel mismo del altar) sea siempre de color blanco.

305. Obsérvese la moderación en la ornamentación del altar.

En el tiempo de Adviento adórnese el altar con flores con la moderación conveniente al carácter de este tiempo, sin que se anticipe la plena alegría de la Navidad del Señor. En el tiempo de Cuaresma se prohibe adornar el altar con flores, a excepción del domingo *Laetare* (IV de la Cuaresma), de las solemnidades y fiestas.

La decoración floral sea siempre moderada, y colóquese preferentemente cerca del altar y no sobre el mismo.

306. Sobre el altar se puede colocar solamente aquello que se requiere para la celebración de la Misa, es decir, el Evangeliario, desde el inicio de la celebración hasta la proclamación del Evangelio; y desde la presentación de los dones hasta la purificación de los vasos, el cáliz con la patena, el copón si es necesario; y también el corporal, el purificador, la palia y el Misal.

Colóquese, además, de manera discreta el dispositivo que eventualmente resulte necesario para la amplificación de la voz.

307. Los candeleros, que según el tipo de acción litúrgica se requieren como expresión de veneración o de celebración festiva (cf. n. 117), colóquense en la forma más digna, o sobre el altar o alrededor de él, teniendo en cuenta la estructura del mismo altar y del presbiterio, de modo que formen una armónica unidad y no impidan a los fieles ver fácilmente lo que sobre el altar se hace o se coloca.

308. También sobre el altar o cerca de él ha de haber una cruz con la imagen de Cristo crucificado, que sea muy visible para la asamblea congregada. Conviene que esta cruz, permanezca junto al altar también fuera de las celebraciones litúrgicas, a fin de traer a la mente de los fieles la pasión salvadora del Señor.

Ambón

309. La dignidad de la palabra de Dios exige que en la iglesia haya un sitio conveniente para su anuncio, hacia el que, durante la liturgia de la palabra, se vuelve espontáneamente la atención de los fieles[117].

Conviene que en general este sitio sea un ambón estable, no un simple atril portátil. El ambón, según la estructura de cada iglesia, debe ser de tal naturaleza, que permita al pueblo ver y oír bien a los ministros ordenados y a los lectores.

Desde el ambón se proclaman únicamente las lecturas, el salmo responsorial y el pregón pascual; pueden también tenerse desde él la homilía y las intenciones de la oración universal. La dignidad del ambón exige que suba a él solamente el ministro de la Palabra.

Conviene que un nuevo ambón se bendiga antes de destinarlo al uso litúrgico, según el rito descrito en el Ritual Romano[118].

Sede para el sacerdote celebrante y los demás asientos

310. La sede del sacerdote celebrante debe significar su oficio de presidente de la asamblea y de director de la oración. Por consiguiente, su puesto más adecuado será de cara al pueblo, al fondo del presbiterio, a no ser que la estructura del edificio o alguna otra circunstancia lo impida; por ejemplo, si, a causa de la excesiva distancia, resulta difícil la comunicación entre el sacerdote y la asamblea de los fieles, o si el tabernáculo se encuentra en medio detrás del altar. Evítese toda apariencia de trono[119]. Conviene que la sede se bendiga antes de destinarla al uso litúrgico, según el rito descrito en el Ritual Romano[120].

En el presbiterio colóquense también los asientos para los sacerdotes concelebrantes y para los presbíteros que vestidos con la vestidura coral, están presentes en la celebración sin concelebrar.

La silla del diácono se debe colocar cerca de la sede del celebrante. Para los demás ministros colóquense los asientos de tal manera que se distingan claramente de los asientos del clero y que puedan cumplir con facilidad el oficio que se les ha confiado[121].

III. DISPOSICIÓN DE LA IGLESIA

Lugar de los fieles

311. Esté bien estudiado el lugar reservado a los fieles, de modo que les permita participar con la vista y con el espíritu en las sagradas celebraciones. Es conveniente que los fieles dispongan siempre de bancos o sillas. Sin embargo, la costumbre de reservar asientos a personas privadas debe reprobarse[122]. La disposición de bancos y sillas, sobre todo en las iglesias de nueva construcción, sea tal que los fieles puedan adoptar las distintas posturas recomendadas para los diversos momentos de la celebración y puedan acceder con comodidad para recibir la sagrada Comunión.

Procúrese que los fieles no sólo puedan ver al sacerdote, al diácono y a los lectores, sino que, valiéndose de los modernos instrumentos técnicos, dispongan de una perfecta acústica.

Lugar del coro y de los instrumentos musicales

312. Los cantores, según la disposición de cada iglesia, se colocan donde más claramente aparezca su índole propia, o sea que constituyen una parte de la comunidad de los fieles y que en ella tienen un oficio particular; donde al mismo tiempo sea más fácil el desempeño de su ministerio litúrgico; donde cómodamente les sea posible la plena participación sacramental en la Misa[123].

313. El órgano y los demás instrumentos musicales legítimamente aprobados, estén en un lugar apropiado, es decir, donde puedan ayudar a cantores y pueblo, y donde cuando intervienen solos, puedan ser bien oídos por todos. Conviene que se bendiga el órgano antes de destinarlo al uso litúrgico, según al rito descrito en el Ritual Romano[124].

En el tiempo de Adviento el órgano y otros instrumentos musicales se deben emplear con la moderación conveniente al carácter de este tiempo, sin que se anticipe la plena alegría de la Navidad del Señor.

En el tiempo de Cuaresma el sonido del órgano y de otros instrumentos se permite sólo para acompañar el canto. De esta regla se exceptúan el domingo Laetare (IV de la Cuaresma), las solemnidades y fiestas.

Lugar de conservación de la Santísima Eucaristía

314. Según la estructura de cada iglesia y las legítimas costumbres de cada lugar, el Santísimo Sacramento deberá conservarse en un tabernáculo colocado en un sitio de la iglesia que sea muy digno, importante, visible, debidamente ornamentado y apto para la oración[125].

El tabernáculo sea ordinariamente uno solo, fijo, confeccionado con material sólido, inviolable y no transparente, cerrado de tal manera que se evite al máximo el peligro de cualquier profanación[126]. Además es conveniente bendecirlo antes de destinarlo al uso litúrgico, según el rito descrito en el Ritual Romano[127].

315. Por razón del signo, es más conveniente que sobre el altar en que se celebra la Misa no se encuentre el tabernáculo en que se conserva la Santísima Eucaristía[128].

Es preferible por tanto colocar el tabernáculo, a juicio del Obispo diocesano:

a) o en el presbiterio, fuera del altar de la celebración, en la manera y lugar más convenientes, sin excluir el antiguo altar que ya no se utiliza para la celebración (n. 303);

b) o en alguna capilla apta para la adoración y oración privada de los fieles[129], que esté conectada orgánicamente con la iglesia y sea visible para los fieles.

316. Según la costumbre tradicional, junto al tabernáculo debe estar encendida perennemente una lámpara especial, que se alimente con aceite o cera, con la que se indique y se honre la presencia de Cristo[130].

317. De ninguna manera se deben olvidar las demás disposiciones que, según la norma de la ley, se prescriben acerca de la conservación de la Santísima Eucaristía[131].

Imágenes sagradas

318. La Iglesia, en la liturgia terrena anticipa ya aquella liturgia celestial, que se celebra en la ciudad santa de Jerusalén, a la cual tiende como peregrina y donde Cristo está sentado a la derecha de Dios; venerando la memoria de los Santos espera tener parte con ellos y disfrutar de su compañía[132].

Por eso, las imágenes del Señor, de la Santísima Virgen y de los Santos, según una tradición antiquísima de la Iglesia, se exponen a la veneración de los fieles en las iglesias[133], donde se deben colocar de tal manera que conduzcan a los fieles hacia los misterios que ahí se celebran. Téngase cuidado de que no se presenten en número excesivo, y, de que en su disposición haya un justo orden y no distraigan la atención de los fieles de la misma celebración[134]. No haya ordinariamente más de una imagen del mismo santo. Y procúrese en general que la ornamentación y disposición del templo, en lo referente a las imágenes, fomenten la auténtica piedad de toda la comunidad y la belleza y dignidad de las imágenes.

CAPÍTULO VI
Cosas que se necesitan para la celebración de la Misa

I. PAN Y VINO PARA LA CELEBRACIÓN DE LA EUCARISTÍA

319. La Iglesia, siguiendo el ejemplo de Cristo, ha usado siempre, para celebrar el banquete del Señor, el pan y el vino juntamente con el agua.

320. El pan para la celebración de la Eucaristía debe ser de puro trigo, hecho recientemente y, según la tradición de la Iglesia latina, ázimo.

321. La naturaleza misma del signo exige que la materia de la celebración eucarística aparezca verdaderamente como alimento. Conviene, pues, que el pan eucarístico, aunque sea ázimo y elaborado en la forma tradicional, se haga en tal forma que el sacerdote, en la Misa celebrada con el pueblo, pueda realmente partir la hostia en partes diversas y distribuirlas, al menos a algunos fieles. No se excluyen de ninguna manera las hostias pequeñas, cuando así lo exige el número de los que van a recibir la Sagrada Comunión y otras razones pastorales. Pero el gesto de la fracción del pan, que era el que servía en los tiempos apostólicos para denominar la misma Eucaristía, manifestará mejor la fuerza y la importancia del signo de unidad en un solo pan y de la caridad, por el hecho de que un solo pan se distribuye entre hermanos.

322. El vino para la celebración eucarística debe ser "del fruto de la vid" (cf. Lc 22, 18), es decir, vino natural y puro, no contaminado con substancias extrañas.

323. Póngase sumo cuidado en que el pan y el vino destinado a la Eucaristía se conserven en perfecto estado: es decir, que el vino no se avinagre y que el pan ni se corrompa ni se endurezca tanto como para que sea difícil luego el partirlo.

324. Si después de la consagración o en el momento en que el sacerdote toma la Comunión cae éste en la cuenta de que no le han servido vino, sino agua, dejando ésta en un vaso, se servirá de nuevo vino y agua en el cáliz, y lo consagrará, repitiendo la parte de la consagración que corresponde a la consagración del vino, sin que deba repetir la consagración del pan.

II. UTENSILIOS SAGRADOS EN GENERAL

325. Tanto para los edificios de los templos, como para todo su mobiliario y ajuar, la Iglesia acepta el estilo artístico de cada región y admite todas las adaptaciones que cuadren con el modo de ser y tradiciones de cada pueblo, con tal que todo responda de una manera adecuada al uso sagrado para el que se destinan[135].

También en este campo búsquese con cuidado la noble simplicidad que tanto conviene al arte auténtico.

326. En la elección de materiales para los utensilios sagrados, se pueden admitir no sólo los materiales tradicionales, sino también, según la mentalidad contemporánea, otros materiales que se consideren nobles, sean duraderos, y se acomoden bien al uso sagrado. En las diócesis de los Estados Unidos de América, estos materiales pueden incluir madera, piedra, o metal, que sean sólidos y apropiados al propósito para el cual serán utilizados.

III. VASOS SAGRADOS

327. Entre las cosas que se requieren para la celebración de la Misa merecen especial honor los vasos sagrados, y entre éstos, el cáliz y la patena, en los que el pan y el vino se ofrecen, consagran se toman.

328. Los sagrados vasos deben construirse de metal noble. Si están hechos de materiales que puedan oxidarse o de materiales menos nobles que el oro, generalmente deben llevar la parte interior dorada.

329. En las diócesis de los Estados Unidos de América, los vasos sagrados pueden hacerse también de otros materiales sólidos, que

se consideren nobles según la estima común en cada región, por ejemplo, de ébano o de otras maderas más duras, con tal que sean adecuados para el uso sagrado. En este caso se deben preferir siempre los materiales que no se rompen ni se corrompen fácilmente. Esto vale para todos los vasos destinados para contener hostias, como la patena, el copón, la píxide, la custodia u ostensorio y otros semejantes.

330. Los cálices y demás vasos que se destinan para recibir la Sangre del Señor, tengan la copa de un material que no absorba los líquidos. El pie, en cambio, puede hacerse de otros materiales sólidos y dignos.

331. Para consagrar las hostias puede utilizarse una patena grande, en donde se coloque el pan para el sacerdote, el diácono y para los otros ministros y los fieles.

332. Por lo que toca a la forma de los vasos sagrados, corresponde al artista crearlos, según el modelo que mejor corresponda a las costumbres de cada región, siempre que cada vaso sea adecuado para el uso litúrgico a que se destina y se distinga claramente de los vasos destinados al uso cotidiano.

333. Respecto a la bendición de los vasos sagrados, obsérvense los ritos prescritos en los libros litúrgicos[136].

334. Consérvese la costumbre de construir en la sacristía una piscina, en la cual se vierta el agua con la que se lavan los vasos sagrados y los lienzos (cf. n. 280).

IV. VESTIDURAS SAGRADAS

335. En la Iglesia, que es el Cuerpo de Cristo, no todos los miembros desempeñan un mismo oficio. Esta diversidad de ministerios se manifiesta exteriormente en la celebración de la Eucaristía por la diversidad de las vestiduras, que, por consiguiente, deben constituir un distintivo propio del oficio que desempeña cada ministro. Por otro lado, las vestiduras mismas deben contribuir al decoro de la acción sagrada. Las vestiduras utilizadas por los sacerdotes y diáconos, como también las de los ministros laicos deben bendecirse oportunamente, antes de que sean destinadas al uso litúrgico según el rito descrito en el Ritual Romano[137].

336. La vestidura sagrada común para todos los ministros ordenados e instituidos de cualquier grado es el alba, que debe ceñirse por la cintura con un cíngulo, a no ser que esté hecha de tal manera que pueda ajustarse al cuerpo sin necesidad de cíngulo. Mas antes de ponerse el alba, si ésta no cubre perfectamente el vestido ordinario alrededor del cuello, póngase un amito. El alba no puede cambiarse por un sobrepelliz, ni siquiera sobre la sotana, cuando se ha de vestir encima la casulla o la dalmática, o cuando, según las normas, se debe utilizar la sola estola sin casulla o dalmática.

337. La vestidura propia del sacerdote que celebra en la Misa y en otras acciones sagradas que directamente se relacionan con ella, es la casulla, a no ser que se diga lo contrario, la cual debe ir puesta sobre el alba y la estola.

338. La vestidura propia del diácono es la dalmática, que se pone sobre el alba y la estola. Pero la dalmática, por necesidad o menor grado de la solemnidad puede omitirse.

339. En las diócesis de los Estados Unidos de América, acólitos, monaguillos, lectores y otros ministros laicos pueden vestirse con el alba u otra vestidura adecuada u otra que sea digna y apropiada.

340. La estola la lleva el sacerdote alrededor del cuello y pendiente ante el pecho; en cambio, el diácono la lleva atravesada, desde el hombro izquierdo, pasando sobre el pecho, hacia el lado derecho del tronco, donde se sujeta.

341. La capa pluvial la lleva el sacerdote en las procesiones y en algunas otras acciones sagradas, según las rúbricas de cada rito particular.

342. Por lo que toca a la forma de los ornamentos sagrados, las Conferencias de los Obispos pueden definir y proponer a la Sede Apostólica la acomodación que responda mejor a las necesidades y costumbres de las diversas regiones[138].

343. Para la confección de las vestiduras sagradas, aparte de los materiales tradicionales, pueden emplearse las fibras naturales propias de cada lugar o algunas fibras artificiales que respondan a la dignidad de la acción sagrada y de la persona. De esto juzgará la Conferencia de los Obispos[139].

344. Es más decoroso que la belleza y nobleza de las vestiduras se busque no en la abundancia de la ornamentación sobreañadida, sino en el material que se emplea y en su corte. La ornamentación lleve figuras, imágenes o símbolos que indiquen el uso sagrado, suprimiendo todo lo que a ese uso sagrado no corresponda.

345. La diversidad de colores en los ornamentos sagrados tiene como fin expresar con más eficacia, aun exteriormente, tanto las características de los misterios de la fe que se celebran, como el sentido progresivo de la vida cristiana a lo largo del año litúrgico.

346. Por lo que toca al color de las vestiduras, obsérvese el uso tradicional, es decir:

a) El blanco se emplea en los Oficios y Misas del tiempo Pascual y de Navidad del Señor; además en las celebraciones del Señor que no sean de su Pasión, en las de la Santísima Virgen, de los santos ángeles, de los santos no mártires, en la fiesta de Todos los Santos (1 de noviembre), de S. Juan Bautista (24 de junio), de S. Juan Evangelista (27 de diciembre), de la Cátedra de S. Pedro (22 de febrero) y de la conversión de S. Pablo (25 de enero).

b) El rojo se emplea el Domingo de la Pasión y el Viernes Santo, y en las fiestas de Pentecostés, de la Pasión del Señor, en las fiestas natalicias de Apóstoles y Evangelistas y en las de los santos mártires.

c) El verde se emplea en los Oficios y Misas del llamado "Tiempo Ordinario", a lo largo del año.

d) El morado se emplea en el tiempo de Adviento y Cuaresma. Puede también usarse en los Oficios y Misas de difuntos.

e) Además de los ornamentos de color violeta, los ornamentos de color blanco, o negro pueden usarse en los servicios fúnebres y en otros Oficios y en las Misas de difuntos en las diócesis de los Estados Unidos de América;

f) El rosa puede emplearse, donde se acostumbra, en los domingos *Gaudete* (III de Adviento) y *Laetare* (IV de Cuaresma);

g) Los días más solemnes, puede usarse los ornamentos festivos, es decir, ornamentos más preciosos y sagrados, aún si no es el color del día.

h) Ornamentos dorados o de color de plata pueden usarse en ocasiones más solemnes en las diócesis de los Estados Unidos de América.

347. En las Misas rituales se emplea el color propio, o blanco o festivo; en las Misas para diversas necesidades, el color propio del día o del tiempo, o el color morado, si expresan índole penitencial (por ejemplo las Misas 31, 33, 38); y en las votivas, el color conveniente a la Misa celebrada o el color propio del día o del tiempo.

V. OTRAS COSAS DESTINADAS AL USO DE LA IGLESIA

348. Además de los vasos sagrados y de las vestiduras sagradas, para los que se determina un material concreto, todas las otras cosas que se destinan o al mismo uso litúrgico[140] o de alguna otra manera a la iglesia, sean dignas y aptas según la propia finalidad de cada una.

349. Se debe procurar de manera particular que los libros litúrgicos, sobre todo el Evangeliario y el leccionario, que se destinan a la proclamación de la Palabra de Dios y por eso gozan de una particular veneración, sean en la acción litúrgica realmente signos y símbolos de las cosas celestes y por tanto verdaderamente dignos, decorosos y bellos.

350. Además, se deben cuidar con esmero los objetos relacionados directamente con el altar y la celebración eucarística, como, por ejemplo, la cruz del altar y la cruz que se lleva en la procesión.

351. Hágase un serio esfuerzo para que aun en cosas de menor importancia, se tengan en cuenta las exigencias del arte y queden asociadas la noble sencillez y la limpieza.

CAPÍTULO VII
Elección de la Misa y de sus partes

352. La eficacia pastoral de la celebración aumentará sin duda si los textos de las lecturas, de las oraciones y de los cantos respondan adecuadamente, dentro de lo que cabe, a las necesidades y a la preparación espiritual y modo de ser de quienes participan en el culto. Esto se obtendrá adecuadamente utilizando oportunamente la amplia libertad de elección que enseguida se describe.

El sacerdote, por consiguiente, al preparar la Misa, mirará más al bien espiritual común del pueblo de Dios que a sus preferencias personales. Tenga además presente que una elección de este tipo estará bien hacerla de común acuerdo con los que habrán de desempeñar alguna función en la celebración, sin excluir a los mismos fieles en la parte que a ellos más directamente corresponde.

Y puesto que las combinaciones elegibles son tan diversas, es menester que antes de la celebración el diácono, los lectores, el salmista, el cantor, el comentarista y el coro, cada uno por su parte, sepa claramente qué textos le corresponden, y nada se deje a la improvisación. Ya que la armónica sucesión y ejecución de los ritos contribuye muchísimo a disponer el espíritu de los fieles a la participación eucarística.

I. ELECCIÓN DE LA MISA

353. En las solemnidades el sacerdote está obligado a seguir el calendario de la iglesia en que celebra.

354. En los domingos, en las ferias de Adviento, Navidad, Cuaresma y Pascua, en las fiestas y memorias obligatorias:

a) si la Misa se celebra con pueblo, el sacerdote debe seguir el calendario de la iglesia en que celebra;

b) si la Misa se celebra sólo con un ministro, el sacerdote puede elegir o el calendario de la iglesia o su calendario propio.

355. Memorias libres:

a) En las ferias de Adviento comprendidas entre el 17 y 24 de diciembre, así como en la infraoctava de Navidad y en las ferias de Cuaresma, exceptuados el Miércoles de Ceniza y las ferias de la Semana Santa, el sacerdote dirá la Misa del día litúrgico correspondiente. Cuando en alguno de estos días esté señalada una memoria en el calendario general, se puede tomar la colecta de esta memoria, con tal que no sea en Miércoles de Ceniza o en alguna de las ferias de Semana Santa. En el tiempo pascual las memorias de los santos se pueden celebrar legítimamente de manera integral.

b) En las ferias de Adviento anteriores al 17 de diciembre, en las ferias del tiempo de Navidad desde el 2 de enero, y en las ferias del tiempo pascual, el sacerdote puede elegir o la Misa de la feria o la Misa del santo (o uno de los santos de los que se haga memoria) o la Misa de algún santo que esté inscrito ese día en el Martirologio.

c) En las ferias del Tiempo Ordinario ("per annum"), el sacerdote puede elegir o la Misa de la feria, o la Misa de una memoria libre que caiga en ese día, o la Misa de algún santo que esté inscrito ese día en el Martirologio, o una de las Misas para diversas necesidades, o una Misa votiva.

Si celebra con pueblo, el sacerdote ponga cuidado en no omitir habitualmente y sin causa suficiente las lecturas que día tras día están indicadas en el leccionario ferial, ya que la Iglesia desea que en la mesa de la palabra de Dios se prepare una mayor abundancia para los fieles[141].

Por la misma razón será moderado en preferir las Misas de difuntos, ya que cualquier Misa se ofrece de igual modo por los vivos y por los difuntos, y en la Plegaria eucarística se contiene el recuerdo de los difuntos.

Donde los fieles tienen particular devoción a una conmemoración libre de la Santísima Virgen o de algún santo, satisfaga su legítima piedad.

Cuando se da la posibilidad de elegir alguna conmemoración oficialmente recordada por el calendario general y otra conmemoración anunciada por el calendario diocesano o religioso, prefiérase, en igualdad de condiciones, y según la tradición, la conmemoración local.

II. ELECCIÓN DE LAS PARTES DE LA MISA

356. Al escoger los textos de las diversas partes de la Misa, del tiempo o de los santos, obsérvense las normas que siguen.

Lecturas

357. Los domingos y solemnidades se señalan tres lecturas, es decir, Profeta, Apóstol y Evangelio, con las que se educa al pueblo cristiano en la continuidad de la obra de salvación, según la admirable disciplina divina. Estas lecturas se deben emplear estrictamente.

En el tiempo pascual, según la tradición de la Iglesia, en lugar del Antiguo Testamento, se tiene la lectura de los Hechos de los Apóstoles.

En las fiestas se señalan dos lecturas. Pero si la fiesta, según las normas se eleva al grado de solemnidad, añádase una tercera lectura tomada de las lecturas comunes.

En las memorias de los Santos, si no se utilizan lecturas propias, léanse ordinariamente las lecturas señaladas para las ferias. En algunos casos se proponen lecturas especiales, que ponen de relieve un aspecto peculiar de la vida espiritual o actividad del Santo. El uso de estas lecturas no es obligatorio, a no ser que lo sugiera la utilidad pastoral.

358. En el leccionario ferial se proponen lecturas para todos los días de cualquier semana a lo largo de todo el año; por consiguiente, se tomarán preferentemente esas lecturas en los mismos días para los que están señalados, a no ser que coincidan con una solemnidad o fiesta o una memoria que tenga lecturas propias del Nuevo Testamento, es decir, en las que se menciona el nombre del Santo celebrado.

Sin embargo, si alguna vez la lectura continua se interrumpe dentro de la semana por alguna solemnidad o fiesta o alguna celebración particular, le está permitido al sacerdote, teniendo a la vista el orden entero de toda la semana, o juntar con las otras lecturas las que se omitieron, o determinar a cuáles textos habrá que darles preferencia.

En las Misas para comunidades peculiares, el sacerdote puede escoger algunos textos que sean más apropiados para determinada celebración especial, con tal de que los tome de algún leccionario aprobado.

359. Existe además una selección particular de textos de la Sagrada Escritura para las Misas rituales en que va incluido algún sacramento o sacramental, o para las que se celebran en determinadas circunstancias.

Estos leccionarios se han hecho para que los fieles, oyendo una lectura más acomodada de la palabra de Dios, puedan llegar a entender mejor el misterio en el que toman parte y sean formados en una mayor estima de la palabra de Dios.

Por consiguiente, los textos que se leen en una asamblea litúrgica han de determinarse teniendo ante los ojos no sólo los normales motivos pastorales, sino también la libertad de elección concedida para estos casos.

360. Algunas veces, se proponen dos versiones del mismo texto: una breve y una larga. En la elección entre estas dos formas téngase en cuenta el criterio pastoral. Se debe tomar en cuenta la capacidad de los fieles de escuchar con provecho la lectura más o menos larga, como también su capacidad de escuchar el texto más completo y su explicación por medio de la homilía[142].

361. Pero cuando se concede la facultad de elegir entre uno u otro texto ya señalado, o propuesto para la libre elección, se debe tomar en cuenta la utilidad de los participantes, puesto que se trata siempre de utilizar el texto más fácil o más adecuado para la asamblea reunida, o de repetir o de sustituir un texto que se asigna a alguna celebración como propio, por otro de libre elección, cuando así lo sugiera la utilidad pastoral.

Esto puede suceder cuando el mismo texto debe ser leído nuevamente en los días cercanos, por ejemplo, el domingo y en el día ferial siguiente, o cuando se tenga miedo de que un texto pueda generar algunas dificultades en una asamblea concreta. Con todo, en la elección de los textos de la Sagrada Escritura, se debe cuidar de no excluir permanentemente algunas de sus partes[143].

362. Las adaptaciones al *Ordo Lectionum Missae* contenidas en el leccionario en las diócesis de los Estados Unidos de América deben observarse cuidadosamente.

Oraciones

363. En cualquier Misa, mientras no se indique lo contrario, se dicen las oraciones propias de esa Misa.

Sin embargo, en las Misas de memorias de los santos se dice la colecta propia o, en su falta, la del común apropiado; en cambio las oraciones sobre las ofrendas y la oración después de la comunión, sí no existe una fórmula propia, se pueden tomar o del común o de la feria del tiempo correspondiente.

En los días feriales del tiempo ordinario, además de las oraciones del domingo precedente, se pueden tomar las de cualquier otro domingo del tiempo ordinario, o las de una de las Misas para diversas necesidades que se inserten en el misal. Siempre está permitido tomar de esas Misas únicamente la Oración colecta.

De este modo se provee una mayor abundancia de textos, con los que la oración de los fieles se nutre más abundantemente.

Con todo, en los tiempos más importantes del año, esta acomodación ya está prácticamente hecha en las oraciones que se señalan para cada día en el Misal.

Plegaria eucarística

364. La mayor parte de los prefacios disponibles en el Misal Romano miran a que el tema de la acción de gracias tenga en la Plegaria eucarística la más plena expresión y a que los diversos aspectos del misterio de salvación se vayan exponiendo con más claridad.

365. Es conveniente que la elección de una u otra de las Plegarias eucarísticas, que se encuentran en el Ordinario de la Misa, se sujete a estas normas:

a) La Plegaria eucarística I, o Canon romano, que se puede emplear siempre, se dirá más oportunamente en los días que tienen *Reunidos en comunión* propio o en las Misas que tienen también su propio *Acepta, Señor, en tu bondad.* También en las fiestas de los apóstoles y de los santos que se mencionan en la misma Plegaria; de igual modo los domingos, a no ser que por motivos pastorales se prefiera la III Plegaria eucarística.

b) La Plegaria eucarística II, por sus mismas características, se emplea mejor en los días ordinarios de entre semana, o en circunstancias particulares. Aunque tiene su prefacio propio, puede también usarse con prefacios distintos, sobre todo con los que presentan en forma más resumida el misterio de la salvación, por ejemplo, con los prefacios comunes. Cuando la Misa se celebra por un determinado difunto, se puede emplear una fórmula particular, que figura ya en su respectivo lugar, antes de: *Acuérdate también.*

c) La Plegaria eucarística III puede usarse con cualquier prefacio. Para su uso se recomiendan los domingos y las fiestas. Pero si esta Plegaria se emplea en las Misas por los difuntos, puede utilizarse una fórmula particular para el difunto, que debe introducirse en su respectivo lugar, es decir, después de: *Reúne en torno a ti, Padre misericordioso, a todos tus hijos dispersos por el mundo.*

d) La Plegaria eucarística IV tiene un prefacio fijo y da un sumario completo de la historia de la salvación. Se puede emplear cuando la Misa no tiene prefacio propio, y en los domingos del tiempo ordinario. En esta Plegaria, por razón de su propia estructura, no se puede introducir una fórmula especial por un difunto.

Canto

366. Los cantos presentes en el Ordinario de la Misa, por ejemplo, *Cordero de Dios,* no se pueden sustituir con otros cantos.

367. Para elegir el canto que se intercalará entre las lecturas, lo mismo que los cantos de entrada, de ofertorio y comunión, obsérvense las normas que se establecen en cada lugar (cf. nn. 40–41, 47–48, 61–64, 74, 86–88).

CAPÍTULO VIII
Misas y oraciones para diversas circunstancias y Misas de difuntos

I. MISAS Y ORACIONES PARA DIVERSAS CIRCUNSTANCIAS

368. Puesto que la liturgia de los Sacramentos y Sacramentales hace que, en los fieles bien dispuestos, casi todos los actos de la vida sean santificados por la gracia divina que emana del misterio pascual[144], y puesto que la Eucaristía es el Sacramento de los sacramentos, el Misal proporciona modelos de Misas y oraciones que pueden emplearse en las diversas ocasiones de la vida cristiana, por las necesidades de todo el mundo o de la Iglesia, universal o local.

369. Teniendo ante la vista la amplia facultad de elegir lecturas y oraciones, conviene que las Misas "para diversas circunstancias", se usen más bien con moderación, es decir, cuando es verdaderamente útil.

370. En todas las Misas "para diversas circunstancias", si no se dice expresamente nada en contrario, se pueden usar las lecturas

feriales y los cantos que se proponen entre ellas, si concuerdan con la misma celebración.

371. Entre tales Misas se encuentran las Misas rituales, para las diversas necesidades y para diversas circunstancias y las votivas.

372. Las Misas rituales se relacionan con la celebración de algunos sacramentos o sacramentales. Se prohiben en los domingos de Adviento, Cuaresma y Pascua, en las solemnidades, en la octava de Pascua, en la conmemoración de todos los fieles difuntos, en el Miércoles de Ceniza y en las ferias de Semana Santa; guárdense, además, las normas establecidas en los rituales o en las mismas Misas.

373. Las Misas por varias necesidades se toman en algunas determinadas circunstancias o se repiten de tiempo en tiempo o en días establecidos.

Días o periodos de oración por los frutos de la tierra, oración por los derechos humanos y la igualdad, oración por la paz y justicia en el mundo, y prácticas penitenciales fuera de la Cuaresma deben observarse en las diócesis de los Estados Unidos de América en momentos designados por el Obispo diocesano.

En todas las diócesis de los Estados Unidos de América, el 22 de enero (o el 23 de enero, cuando el día 22 cae en domingo) se observará como un día especial de penitencia por las violaciones contra la dignidad de la persona humana cometidas por medio de acciones abortivas, y de oración por la plena restauración de la garantía legal del derecho a la vida. La "Misa por la Justicia y la Paz" (n. 22 de "Misas por distintas necesidades") debe celebrarse con ornamentos de color violeta como una celebración litúrgica apropiada para este día.

374. Si se presenta alguna grave necesidad o utilidad pastoral, puede celebrarse por ellas una Misa de acuerdo con las circunstancias, por encargo o con permiso del Ordinario del lugar; y eso cualquier día, exceptuando las solemnidades, los domingos de Adviento, Cuaresma y Pascua, la octava de Pascua, la conmemoración de todos los fieles difuntos, el Miércoles de Ceniza y las ferias de Semana Santa.

375. Las Misas votivas sobre los misterios del Señor, o en honor de la Santísima Virgen o de los ángeles, o de algún santo o de todos

los santos, se pueden decir, según la piedad de los fieles, en los días feriales del tiempo ordinario, aún cuando ocurra una memoria libre. Pero no se pueden celebrar como votivas las Misas sobre los misterios de la vida del Señor o de la Santísima Virgen María, exceptuando la Misa de la inmaculada concepción, porque la celebración de ellas se inserta en el año litúrgico.

376. Los días en que ocurre una memoria obligatoria, o una feria de Adviento hasta el 16 de diciembre, inclusive, o del tiempo de Navidad desde el 2 de enero, o del tiempo pascual después de la octava de Pascua, son días en que de por sí están prohibidas las Misas por diversas necesidades y las votivas. Sin embargo, si una verdadera necesidad o utilidad pastoral lo pidiese, puede decirse, en la celebración con el pueblo, la Misa que mejor responda a esa necesidad o utilidad pastoral, a juicio del rector del templo o del mismo sacerdote celebrante.

377. En las ferias del Tiempo Ordinario en las que cae alguna memoria libre o se hace el Oficio de la feria, puede decirse cualquier Misa o emplearse cualquier oración "para diversas circunstancias", excepto, sin embargo, las Misas rituales.

378. De manera especial, se recomienda la memoria de santa María en sábado, ya que a la Madre del Redentor se le otorga la veneración en la Liturgia de la Iglesia en primer lugar y antes que a todos los santos[145].

II. MISAS DE DIFUNTOS

379. El sacrificio eucarístico de la Pascua de Cristo lo ofrece la Iglesia por los difuntos, a fin de que, por la intercomunión de todos los miembros de Cristo, lo que a unos consigue ayuda espiritual, a otros lleve el consuelo de la esperanza.

380. Entre las Misas de difuntos, la más importante es la Misa de las exequias o funeral, que se puede celebrar todos los días, excepto las solemnidades de precepto, el Jueves santo, el triduo pascual y los domingos de Adviento, Cuaresma y Pascua, observando además todas las prescripciones según la norma del derecho[146].

381. La Misa de difuntos que se dice después de recibida la noticia de la muerte, o con ocasión de la sepultura definitiva, o en el primer aniversario, puede celebrarse aun en la octava de Navidad, y en

los días en que ocurre una memoria obligatoria o cualquier feria, que no sea la del Miércoles de Ceniza o una de las de Semana Santa.

Las Misas de difuntos, llamadas "cotidianas", pueden celebrarse en las ferias del Tiempo Ordinario en que cae alguna memoria libre o se hace el oficio de la feria, con tal que realmente se apliquen por los difuntos.

382. En las Misas de funeral téngase regularmente una breve homilía, excluyendo todo lo que sepa a elogio fúnebre.

383. Exhórtese a los fieles, sobre todo a los familiares del difunto, a que participen en el sacrificio eucarístico ofrecido por él, acercándose a la comunión.

384. Si la Misa de funeral está directamente relacionada con el rito de las exequias, una vez dicha la Oración después de la comunión, se omite todo el rito de despedida y en su lugar se reza la última recomendación o despedida; este rito solamente se hace cuando está presente el cadáver.

385. Al seleccionar y ordenar para la Misa de difuntos, y especialmente para la Misa del funeral, las partes variables (por ejemplo: oraciones, lecturas, oración universal, etcétera) ténganse presentes, como es debido, los motivos pastorales respecto al difunto, a su familia, a los presentes. Especial cuidado tengan, además, los pastores por aquellas personas que, con ocasión de los funerales, vienen a las celebraciones litúrgicas y oyen el Evangelio; personas que pueden no ser católicas o que son católicos que nunca o casi nunca participan en la Eucaristía, o que han perdido la fe; los sacerdotes son ministros del Evangelio de Cristo para todos.

CAPÍTULO IX
Adaptaciones que competen a los Obispos y a las Conferencias de los Obispos

386. La renovación del Misal Romano realizada en la época actual, conforme a las normas del Concilio Ecuménico Vaticano II, asiduamente procuró que todos los fieles, en la celebración eucarística, pudieran tener aquella plena, consciente y activa participación, que es postulada por la naturaleza de la Liturgia misma, y a la cual los mismos fieles, en virtud de su estado, tienen derecho y obligación[147].

Para que la celebración responda más plenamente a las normas y al espíritu de la sagrada Liturgia, se proponen, en la presente Ordenación y en el Ordinario de la Misa, algunas ulteriores adaptaciones, que se someten al juicio del Obispo diocesano o de las Conferencias de los Obispos.

387. El Obispo diocesano, que es considerado como gran sacerdote de su grey, y del cual, de alguna manera, depende y procede la vida en Cristo de sus fieles[148], debe fomentar, moderar y vigilar la vida litúrgica en su diócesis. A él, en esta Instrucción, se confía la moderación de la disciplina de la celebración (cf. nn. 202, 374), el establecimiento de las normas acerca del ministerio del sacerdote en el altar (cf. n. 107), acerca de la distribución de la sagrada Comunión bajo las dos especies (cf. n. 284), acerca de la construcción y organización de los templos (cf. n. 291). Pero su tarea principal consiste en alimentar el espíritu de la sagrada Liturgia en los presbíteros, los diáconos y los fieles.

388. Las adaptaciones, de las cuales se habla a continuación, y que exigen una más amplia coordinación, han de ser determinadas en el seno de la Conferencia de los Obispos, según las normas de las ley.

389. A las Conferencias de los Obispos compete sobre todo preparar y aprobar la edición de este Misal Romano en los idiomas vernáculos admitidos, para que, obtenido el reconocimiento de la Sede Apostólica, se utilice en las regiones pertinentes[149].

El Misal Romano debe ser editado íntegramente tanto en su original latino como en las traducciones vulgares legítimamente aprobadas.

390. Compete a las Conferencias de los Obispos definir las siguientes adaptaciones indicadas en esta Instrucción general y en el Ordinario de la Misa y, obtenido el reconocimiento de la Sede Apostólica, introducirlas en el mismo Misal:

—los gestos y posturas corporales de los fieles (cf. n. 43);

—los gestos de veneración hacia el altar y el Evangeliario (cf. n. 274);

—los textos de los cantos de la entrada, de la preparación de los dones y de la Comunión (cf. nn. 48, 74, 87);

—las lecturas que se han de tomar de la Sagrada Escritura en circunstancias particulares (cf. n. 362);

—la forma de expresar el signo de la paz (cf. n. 82);

—el modo de recibir la sagrada Comunión (cf. nn. 160–161, 284);

—el material del altar y de los utensilios sagrados, sobre todo de los vasos sagrados, como también el material, la forma y el color de las vestiduras litúrgicas (cf. nn. 301, 326, 329, 339, 342, 346, 349).

Los Directorios o Instrucciones pastorales que las Conferencias de los Obispos juzguen útiles, pueden introducirse, previo reconocimiento de la Sede Apostólica, en el Misal Romano, en un lugar oportuno.

391. A estas mismas Conferencias corresponde procurar muy cuidadosamente las traducciones de los textos bíblicos que han de emplearse en la celebración de la Misa. En efecto, de la Sagrada Escritura se leen y se explican en la homilía las lecturas, se cantan los salmos, y de su inspiración y aliento nacen las plegarias, oraciones y cánticos litúrgicos, de manera que de ella reciben su significado las acciones y los signos[150].

En las traducciones se debe utilizar el lenguaje que responda a la capacidad de los fieles y que sea adecuado a la pública proclamación, conservando sin embargo las características propias de las maneras de expresión empleadas en los libros bíblicos.

392. Igualmente se encargarán las Conferencias de los Obispos de preparar esmeradamente la traducción de otros textos, para que, conservando la índole de cada lengua, se transmita plena y fielmente el sentido del texto original latino. En la realización de este cometido, conviene respetar los diversos géneros literarios que se emplean en la Misa, como: oraciones presidenciales, antífonas, aclamaciones, respuestas, súplicas letánicas, etcétera.

Se debe tener claro que la traducción de los textos no es destinada sobre todo para la meditación, sino más bien para la proclamación o canto durante la celebración.

Se debe utilizar el lenguaje adaptado a los fieles de cada región, con tal que sea noble y dotado de calidad literaria, permaneciendo siempre firme la necesidad de alguna catequesis acerca del sentido bíblico y cristiano de algunas palabras o expresiones.

Es muy conveniente que en las regiones de la misma lengua, se pueda tener, en la medida de lo posible, la misma traducción de los textos litúrgicos, sobre todo en cuanto a los textos bíblicos y al Ordinario de la Misa[151].

393. Tomando en cuenta el lugar eminente que ocupa en la celebración el canto, como parte necesaria o integral de la liturgia[152], todos los arreglos musicales de los textos para la respuesta del pueblo y aclamaciones en el Ordinario de la Misa y por los ritos especiales que tienen lugar durante el año litúrgico deben someterse al Secretariado de Liturgia de la Conferencia de Obispos Católicos de los Estados Unidos de América para su revisión y aprobación antes de publicarlos.

Mientras que el órgano debe ocupar el lugar de honor, otros instrumentos de viento o de cuerda, o instrumentos de percusión pueden utilizarse en las celebraciones litúrgicas en las diócesis de los Estados Unidos de América, según la antigua tradición local, con tal de que sean verdaderamente apropiados para utilizarse sagradamente o puedan ser vueltos apropiados.

394. Es necesario que cada diócesis tenga su Calendario y sus Textos propios de las Misas[153]. Por su parte, la Conferencia de los Obispos editará el calendario propio de la nación, o juntamente con otras Conferencias, un calendario de jurisdicción más amplia, aprobado por la Sede Apostólica.

En la realización de este trabajo, se debe observar y proteger el día del domingo, en cuanto que es el día festivo primordial. Por esta razón no se le pueden anteponer otras celebraciones, a nos ser de que sean verdaderamente importantes[154]. De la misma manera, procúrese que el año litúrgico revisado conforme al decreto del Concilio Vaticano II, no quede obscurecido por los elementos secundarios.

En la preparación del calendario nacional, se deben indicar los días (cf. n. 373) de las Plegarias y los Cuatro Tiempos del año con las formas y textos que han de utilizarse en su celebración[155], como también es necesario que se tengan en cuenta otras determinaciones peculiares.

Conviene que, en la edición del Misal, las celebraciones comunes a toda la nación o jurisdicción se incluyan en su lugar entre las celebraciones del calendario general, y que las celebraciones propias de la región o de la diócesis tengan su lugar en un Apéndice particular.

395. Finalmente, si la participación de los fieles y su bien espiritual requiriesen de algunas modificaciones y adaptaciones más profundas, las Conferencias de los Obispos podrán proponer a la Sede Apostólica aquellas adaptaciones, en primer lugar para los pueblos de reciente evangelización, cuya introducción, según la norma del n. 40 de la *Constitución sobre la Sagrada Liturgia,* exige el consentimiento de la Sede Apostólica[156]. Obsérvense atentamente las normas peculiares formuladas en la Instrucción *De Liturgia romana et inculturatione*[157].

En cuanto a la manera de proceder en esta materia obsérvese lo siguiente:

En primer lugar, expóngase a la Sede Apostólica un proyecto previo, parte por parte, para que, concedida la debida facultad, se proceda a la elaboración de las adaptaciones concretas.

Aprobadas legítimamente estas propuestas por la Sede Apostólica, se efectuarán los experimentos en lugares y tiempos establecidos. Si es el caso, terminado el periodo experimental, la Conferencia de los Obispos determinará la continuación de las adaptaciones y propondrá al juicio de la Sede Apostólica la formulación madura de la cuestión[158].

396. Pero antes de recurrir a las nuevas adaptaciones, sobre todo a las más profundas, se deberá procurar cuidadosamente que, ordenada y sabiamente, se promueva la debida instrucción del clero y de los fieles, y que se pongan en práctica las facultades ya antes vistas y que se apliquen plenamente las normas pastorales correspondientes al espíritu de la celebración.

397. Obsérvese igualmente el principio, según el cual, cada Iglesia particular debe concordar con la Iglesia universal no sólo en cuanto a la doctrina de la fe y los signos sacramentales, sino también en cuanto a los usos universalmente aceptados por la tradición apostólica y continua, que deben ser observados nos sólo con el fin de evitar los errores, sino también para transmitir la integridad de la fe, puesto que la *lex orandi* de la Iglesia responde a su *lex credendi*[159].

El Rito romano constituye una parte notable y preciosa del tesoro litúrgico y del patrimonio de la Iglesia católica, cuyas riquezas contribuyen al bien de la Iglesia entera, de manera que su pérdida la perjudicaría gravemente.

Este Rito, a lo largo de los siglos, no sólo conservó los usos litúrgicos originados en la ciudad de Roma, sino que también integró en sí, de manera profunda, orgánica y armónica algunos otros ritos derivados de las costumbres y del ingenio de los diversos pueblos y varias Iglesias particulares, tanto del Occidente como del Oriente, adquiriendo así una índole supra-regional. Actualmente la identidad y la expresión unitaria de este Rito se encuentra en las ediciones típicas de los libros litúrgicos promulgados por la autoridad del Sumo Pontífice y en libros litúrgicos que les corresponden, aprobados por las Conferencias de los Obispos para sus respectivas jurisdicciones y reconocidos por la Sede Apostólica[160].

398. La norma establecida por el Concilio Vaticano II, según la cual no se deben introducir las innovaciones en la reforma litúrgica, a no ser de que lo exija la verdadera y real utilidad de la Iglesia, y la cautela en procurar que las nuevas formas surjan en cierto modo orgánicamente de las formas ya existentes[161], se debe aplicar también a la obra de la inculturación del mismo Rito romano[162]. Además, la inculturación exige un lapso de tiempo necesario, para que la tradición litúrgica no se contamine con procedimientos apresurados e incautos.

Por último, la búsqueda de la inculturación no pretende en absoluto crear nuevas familias rituales, sino salir al encuentro de las exigencias de una cultura concreta, pero de la manera que las adaptaciones introducidas, tanto en el Misal como en otros libros litúrgicos, no sean perjudiciales para la adecuada índole propia del Rito romano[163].

399. De esta manera, el Misal Romano, aunque en la diversidad de lenguas y cierta variedad de las costumbres[164], debe conservarse para el futuro como un instrumento y signo preclaro de la integridad y unidad del Rito romano[165].

Citas

1. Conc. Ecum. Tridentino, Sesión XXII, 17 de septiembre 1562: DS 1738-1759.
2. Conc. Ecum. Vaticano II, Constitución sobre la Sagrada Liturgia, *Sacrosanctum Concilium*, n. 47; cf. Constitución dogmática sobre la Iglesia, *Lumen Gentium*, nn. 3, 28; Decreto sobre el ministerio y vida de los presbíteros, *Presbyterorum ordinis*, nn. 2, 4, 5.
3. Misa vespertina de la Cena del Señor, Oración sobre las ofrendas. Cf. *Sacramentarium Veronese*, ed. Mohlberg, n. 93.
4. Cf. Plegaria eucarística III.
5. Cf. Plegaria eucarística IV.
6. Conc. Ecum. Vaticano II, Constitución sobre la Sagrada Liturgia, *Sacrosanctum Concilium*, nn. 7, 47; Decreto sobre el ministerio y vida de los presbíteros, *Presbyterorum ordinis*, nn. 5, 18.
7. Cf. Pío XII, Carta Encíclica *Humani generis*, el 12 de agosto de 1950: AAS 42 (1950), pp. 570-571; Pablo VI, Carta Encíclica *Mysterium Fidei*, del 3 de septiembre de 1965: AAS 57 (1965), pp. 762-769; Sollemnis Professio Fidei, del 30 de junio de 1968, nn. 24-26: AAS 60 (1968), pp. 442-443; S. Congregación de Ritos, Instrucción *Eucaristicum mysterium*, del 25 de junio de 1967, nn. 3f, 9: AAS 59 (1967), pp. 543, 547.
8. Cf. Conc. Ecum. Tridentino, Sesión XXIII, 11.10.1551: DS 1635-1661.
9. Cf. Conc. Ecum. Vaticano II, Decreto sobre el ministerio y vida de los presbíteros, *Presbyterorum ordinis*, n. 2.
10. Cf. Conc. Ecum. Vaticano II, Constitución sobre la Sagrada Liturgia, *Sacrosanctum Concilium*, n.11.
11. *Ibidem*, n. 50.
12. Conc. Ecum. Tridentino, Sesión XXII, Doctr. sobre el S. Sacrificio de la Misa, cap. 8: DS 1749.
13. *Ibidem*, can. 9: DS 1759.
14. *Ibidem*, cap. 8: DS 1749.
15. Cf. Conc. Ecum. Vaticano II, Constitución sobre la Sagrada Liturgia, *Sacrosanctum Concilium*, n. 33.
16. *Ibidem*, n. 36.
17. *Ibidem*, n. 52.
18. *Ibidem*, n. 35, 3.
19. *Ibidem*, n. 55.
20. Conc. Ecum. Tridentino, Sesión XXII, Doctr. sobre el S. Sacrificio de la Misa, cap. 6: DS 1747.
21. Cf. Conc. Ecum. Vaticano II, Constitución sobre la Sagrada Liturgia, *Sacrosanctum Concilium*, n. 55.
22. Cf. Conc. Ecum. Vaticano II, Constitución sobre la Sagrada Liturgia, *Sacrosanctum Concilium*, n. 41; Constitución dogmática sobre la Iglesia, *Lumen Gentium*, n. 11; Decreto sobre el

ministerio y vida de los presbíteros, *Presbyterorum Ordinis* n. 2, 5, 6; Decreto sobre el oficio pastoral de los Obispos, *Christus Dominus,* n. 30; Decreto sobre el Ecumenismo, *Unitatis redintegratio,* n. 15; S. CONGREGACIÓN DE RITOS, Instrucción *Eucharisticum mysterium,* del 25 de mayo de 1967, n. 3 e 6: A.A.S. 59 (1967), pp. 542, 544–545.

23. Cf. CONC. ECUM. VATICANO II, Constitución sobre la Sagrada Liturgia, *Sacrosanctum Concilium,* n. 10.

24. Cf. *Ibidem,* n. 102.

25. Cf. CONC. ECUM. VATICANO II, Constitución sobre la Sagrada Liturgia, *Sacrosanctum Concilium,* n. 10; Decreto sobre el ministerio y la vida sacerdotal, *Presbyterorum ordinis,* n. 5.

26. Cf. CONC. ECUM. VATICANO II, Constitución sobre la Sagrada Liturgia, *Sacrosanctum Concilium,* nn. 14, 19, 26, 28, 30.

27. Cf. *Ibidem,* n. 47.

28. Cf. *Ibidem,* n. 14.

29. Cf. *Ibidem,* n. 41.

30. Cf. CONC. ECUM. VATICANO II, Decreto sobre el ministerio y vida de los presbíteros, *Presbyterorum ordinis,* n. 13; *CIC,* can. 904.

31. Cf. CONC. ECUM. VATICANO II, Constitución sobre la Sagrada Liturgia, *Sacrosanctum Concilium,* n. 59.

32. Para las celebraciones especiales de la Misa, obsérvese lo que está establecido: cf. Para las Misas con grupos particulares cf. S. CONGREGACIÓN PARA EL CULTO DIVINO, Instrucción *Actio pastoralis,* del 15 de mayo de 1969: A.A.S. 61 (1969), pp. 806–811; para las Misas con niños: *Directorio de Misas para Niños,* del 1° de noviembre de 1973: A.A.S. 66 (1974), pp. 30–46; para el modo de unir la Liturgia de las Horas con la Misa: INSTITUCIÓN GENERAL DE LA LITURGIA DE LAS HORAS, nn. 93–98. Para el modo de unir algunas bendiciones y la coronación de la imagen de la beata María Virgen con la Misa: RITUALE ROMANUM, *De Benedictionibus,* Praenotanda n. 28; *Ordo coronandi beatae Mariae Virginis,* nn. 10 et 14.

33. Cf. CONC. ECUM. VATICANO II, Decreto sobre el oficio pastoral de los Obispos, *Christus Dominus,* n. 15; cf. también Constitución sobre la Sagrada Liturgia, *Sacrosanctum Concilium,* n.41.

34. Cf. CONC. ECUM. VATICANO II, Constitución sobre la Sagrada Liturgia, *Sacrosanctum Concilium,* n. 22.

35. Cf. también CONC. ECUM. VATICANO II, Constitución sobre la Sagrada Liturgia, *Sacrosanctum Concilium,* n. 38, 40; PABLO VI, Constitución Apostólica *Misal Romano.*

36. CONGREGACIÓN PARA EL CULTO DIVINO Y LA DISCIPLINA DE LOS SACRAMENTOS, Instrucción *Varietates legitime,* del 25 de enero de 1994: A.A.S. 87 (1995), pp. 288–314.

37. Cf. CONC. ECUM. VATICANO II, Decreto sobre el ministerio y vida de los presbíteros, *Presbyterorum ordinis,* n. 5; Constitución sobre la Sagrada Liturgia, *Sacrosanctum Concilium,* n. 33.

38. Cf. CONC. ECUM. TRIDENTINO, Sesión XXII, Doctr. sobre el S. Sacrificio de la Misa, cap. 1: DS 1740; cf. PABLO VI, Sollemnis Professio Fidei, del 30 de junio

de 1968, nn. 24: A.A.S. 60 (1968), pp. 442.

39. Cf. CONC. ECUM. VATICANO II, Constitución sobre la Sagrada Liturgia, *Sacrosanctum Concilium*, n. 7; PABLO VI, Carta Encíclica *Mysterium Fidei*, del 3 de septiembre de 1968: A.A.S. 57 (1965), pp. 764; SAGR. CONR. DE RITOS, Instrucción *Eucharisticum mysterium*, del 25 de mayo de 1967, n. 9: A.A.S. 59 (1967), p. 547.

40. Cf. CONC. ECUM. VATICANO II, Constitución sobre la Sagrada Liturgia, *Sacrosanctum Concilium*, n. 56; Instrucción *Eucharisticum mysterium*, del 25 de mayo de 1967, n. 9: A.A.S. 59 (1967), n. 3: A.A.S. 59 (1967), p. 542.

41. Cf. CONC. ECUM. VATICANO II, Constitución sobre la Sagrada Liturgia, *Sacrosanctum Concilium*, nn. 48, 51; Constitución dogmática sobre la divina Revelación, *Dei Verbum*, n. 21; Decreto sobre el ministerio y vida de los presbíteros, *Presbyterorum ordinis*, n. 4.

42. Cf. CONC. ECUM. VATICANO II, Constitución sobre la Sagrada Liturgia, *Sacrosanctum Concilium*, nn. 7, 33, 52.

43. Cf. *Ibidem*, n. 33.

44. Cf. SAGR. CONR. DE RITOS, Instrucción *Musicam sacram*, del 5 de marzo de 1967, n. 14: A.A.S. 59 (1967), p. 304.

45. Cf. CONC. ECUM. VATICANO II, Constitución sobre la Sagrada Liturgia, *Sacrosanctum Concilium*, nn. 26–27; SAGR. CONR. DE RITOS, Instrucción *Eucharisticum mysterium*, del 25 de mayo de 1967, n. 3d: A.A.S. 59 (1967), p. 542.

46. Cf. CONC. ECUM. VATICANO II, Constitución sobre la Sagrada Liturgia, *Sacrosanctum Concilium*, n. 30.

47. Cf. SAGR. CONR. DE RITOS, Instrucción *Musicam sacram*, del 5 de marzo de 1967, n. 16a: A.A.S. 59 (1967), p. 305.

48. SAN AGUSTÍN DE HIPONA, *Sermón* 336, 1: PL 38, 1472.

49. Cf. SAGR. CONR. DE RITOS, Instrucción *Musicam sacram*, del 5 de marzo de 1967, nn. 7, 16: A.A.S. 59 (1967), pp. 302, 305.

50. Cf. CONC. ECUM. VATICANO II, Constitución sobre la Sagrada Liturgia, *Sacrosanctum Concilium*, n. 116; Cf. también *Ibidem*, n. 30.

51. Cf. CONC. ECUM. VATICANO II, Constitución sobre la Sagrada Liturgia, *Sacrosanctum Concilium*, n. 54; S. CONGREGACIÓN DE RITOS, Instrucción *Inter Oecumenici*, del 26 de septiembre de 1964, n. 59; A.A.S. 56 (1964), p. 891; Instrucción *Musicam sacram*, del 5 de marzo de 1967, n. 47: A.A.S. 59 (1967), p. 314.

52. Cf. CONC. ECUM. VATICANO II, Constitución sobre la Sagrada Liturgia, *Sacrosanctum Concilium*, nn. 30, 34; cf. *Ibidem*, también n. 21.

53. Cf. *Ibidem*, n. 40; CONGREGACIÓN PARA EL CULTO DIVINO Y LA DISCIPLINA DE LOS SACRAMENTOS, Instrucción *Varietates legitimae*, del 25 de enero de 1994, nn. 41, 62–69: A.A.S. 87 (1995), p. 304.

54. Cf. CONC. ECUM. VATICANO II, Constitución sobre la Sagrada Liturgia, *Sacrosanctum Concilium*, n. 30; SAGR. CONR. DE RITOS, Instrucción *Musicam sacram*, del 5 de marzo de 1967, n. 17: A.A.S. 59 (1967), p. 305.

55. Cf. JUAN PABLO II, Carta Apostólica *Dies Domini*, del 31.5.1998, n. 50: A.A.S. 90 (1998), p. 745.

56. Cf. *Misal Romano*, Rito de la bendición y aspersión del agua.

57. Cf. TERTULIANO, *Adversus Marcionem*, IV, 9: CCSL 1, p. 560; ORIGEN, *Disputatio cum Heracleida*, n. 4, 24: SCh 67, p.62; *Statuta Hipponensis Breviata*, 21: CCSL 149, p. 39.

58. Cf. CONC. ECUM. VATICANO II, Constitución sobre la Sagrada Liturgia, *Sacrosanctum Concilium*, n. 33.

59. Cf. *Ibidem*, n. 7.

60. Cf. MISSALE ROMANUM, *Ordo Lectionum Missae*, editio typica altera, n. 28.

61. Cf. CONC. ECUM. VATICANO II, Constitución sobre la Sagrada Liturgia, *Sacrosanctum Concilium*, n. 51.

62. Cf. JUAN PABLO II, Carta Apostólica *Vicesimus quintus annus*, del 4 de diciembre de 1988, n. 13: A.A.S. 81 (1989), p. 910.

63. Cf. CONC. ECUM. VATICANO II, Constitución sobre la Sagrada Liturgia, *Sacrosanctum Concilium*, n. 52; *CIC*, can. 767 § 1.

64. S. CONGREGACIÓN DE RITOS, Instrucción *Inter Oecumenici*, del 26 de septiembre de 1964, n. 54; A.A.S. 56 (1964), p. 890.

65. *CIC*, can 767 § 1; COMISIÓN PONTIFICIA PARA LA INTERPRETACIÓN AUTÉNTICA DEL CÓDIGO DEL DERECHO CANÓNICO, Respuesta a la duda acerca del can. 767 § 1: A.A.S. 79 (1987), p. 1249; Instrucción interdicasterial sobre algunas cuestiones acerca de la cooperación de los laicos en el ministerio de los sacerdotes, *Ecclesiae de mysterio*, del 15 de agosto de 1997, art. 3: A.A.S. 89 (1997), p. 864.

66. Cf. S. CONGREGACIÓN DE RITOS, Instrucción *Inter Oecumenici*, del 26 de septiembre de 1964, n. 53; A.A.S. 56 (1964), p. 890.

67. Cf. CONC. ECUM. VATICANO II, Constitución sobre la Sagrada Liturgia, *Sacrosanctum Concilium*, n. 53.

68. Cf. S. CONGREGACIÓN DE RITOS, Instrucción *Inter Oecumenici*, del 26 de septiembre de 1964, n. 56; A.A.S. 56 (1964), p. 890.

69. Cf. CONC. ECUM. VATICANO II, Constitución sobre la Sagrada Liturgia, *Sacrosanctum Concilium*, n. 47; S. CONGREGACIÓN DE RITOS, Instrucción *Eucharisticum mysterium*, del 25 de mayo de 1967, n. 3 a, b: A.A.S. 59 (1967), pp. 540–541.

70. Cf. S. CONGREGACIÓN DE RITOS, Instrucción *Inter Oecumenici*, del 26 de septiembre de 1964, n. 91; A.A.S. 56 (1964), p. 898; Instrucción *Eucaristicum mysterium*, del 25 de mayo de 1967, n. 24: A.A.S. 59 (1967), p. 554.

71. Cf. CONC. ECUM. VATICANO II, Constitución sobre la Sagrada Liturgia, *Sacrosanctum Concilium*, n. 48; S. CONGREGACIÓN DE RITOS, Instrucción *Eucharisticum mysterium*, del 25 de mayo de 1967, n. 12: A.A.S. 59 (1967), pp. 548–549.

72. Cf. CONC. ECUM. VATICANO II, Constitución sobre la Sagrada Liturgia, *Sacrosanctum Concilium*, n. 48; Decreto sobre el ministerio y vida de los presbíteros, *Presbyterorum ordinis*, n. 5; S. CONGREGACIÓN DE RITOS, Instrucción *Eucharisticum mysterium*, del 25 de mayo de 1967, n. 12: A.A.S. 59 (1967), pp. 548–549.

73. Cf. S. Congregación de Ritos, Instrucción *Eucharisticum mysterium,* del 25 de mayo de 1967, n. 12: A.A.S. 59 (1967), pp. 558–559; S. Congregación de la Disciplina de los Sacramentos, Instrucción *Immensae caritatis,* del 29 de enero de 1973, n. 2: A.A.S. 65 (1973), pp. 267–268.

74. Cf. S. Congregación para los Sacramentos y el Culto Divino, Instrucción *Inaestimable donum,* del 3 de abril de 1980, n. 17: A.A.S. 72 (1980), p. 338.

75. Cf. Conc. Ecum. Vaticano II, Constitución sobre la Sagrada Liturgia, *Sacrosanctum Concilium,* n. 26.

76. Cf. *Ibidem,* n. 14.

77. Cf. *Ibidem,* n. 28.

78. Cf. Conc. Ecum. Vaticano II, Constitución dogmática sobre la Iglesia, *Lumen Gentium,* nn. 26, 28; Constitución sobre la Sagrada Liturgia, *Sacrosanctum Concilium,* n. 42.

79. Cf. Conc. Ecum. Vaticano II, Constitución sobre la Sagrada Liturgia, *Sacrosanctum Concilium,* n. 26.

80. Cf. *Ceremonial de los Obispos,* nn. 175–186.

81. Cf. Conc. Ecum. Vaticano II, Constitución dogmática sobre la Iglesia, *Lumen Gentium,* n. 28; Decreto sobre el ministerio y vida de los presbíteros, *Presbyterorum ordinis,* n. 2.

82. Cf. Pablo VI, Carta apostólica *Sacrum diaconatus Ordinem,* del 18 de junio de 1967; A.A.S. 59 (1967), pp. 697–704; Pontificale Romanum, *De Ordinatione Episcopi, presbyterorum et diaconorum,* editio typica altera, 1989, n. 173.

83. Cf. Conc. Ecum. Vaticano II, Constitución sobre la Sagrada Liturgia, *Sacrosanctum Concilium,* n. 48; S. Congregación de Ritos, Instrucción *Eucharisticum mysterium,* del 25 de mayo de 1967, n. 12: A.A.S. 59 (1967), pp. 548–549.

84. Cf. *CIC,* can 910 § 2; Instrucción interdicasterial sobre algunas cuestiones acerca de la cooperación de los laicos en el ministerio de los sacerdotes, *Ecclesiae de mysterio,* del 15 de agosto de 1997, art. 8: A.A.S. 89 (1997), p. 871.

85. S. Congregación de la Disciplina de los Sacramentos, Instrucción *Immensae caritatis,* del 29 de enero de 1973, n. 1: A.A.S. 65 (1973), pp. 265–266; *CIC,* can. 230 § 3.

86. Cf. Conc. Ecum. Vaticano II, Constitución sobre la Sagrada Liturgia, *Sacrosanctum Concilium,* n. 24.

87. Cf. Sagr. Conr. de Ritos, Instrucción *Musicam sacram,* del 5 de marzo de 1967, n. 19: A.A.S. 59 (1967), p. 306.

88. Cf. *Ibidem,* n. 21: A.A.S. 59 (1967), pp. 306–307.

89. Cf. Comisión Pontificia para la Interpretación auténtica del Código del Derecho Canónico, Respuesta a la duda acerca del can. 230 § 2: A.A.S. 86 (1994), p. 541.

90. Cf. Conc. Ecum. Vaticano II, Constitución sobre la Sagrada Liturgia, *Sacrosanctum Concilium,* n. 22.

91. Cf. Conc. Ecum. Vaticano II, Constitución sobre la Sagrada Liturgia, *Sacrosanctum Concilium,* n. 41.

92. Cf. *Ceremonial de los Obispos,* nn. 119–186.

93. Cf. CONC. ECUM. VATICANO II, Constitución sobre la Sagrada Liturgia, *Sacrosanctum Concilium,* n. 42; CONC. ECUM. VAT. II, Constitución dogmática sobre la Iglesia, *Lumen gentium,* n. 28; Decreto re el ministerio y la vida sacerdotal, *Presbyterorum ordinis,* n. 5; S. CONGREGACIÓN DE RITOS, Instrucción *Eucharisticum mysterium,* del 25 de mayo de 1967, n.26: A.A.S. 59 (1967), p. 555.

94. Cf. S. CONGREGACIÓN DE RITOS, Instrucción *Eucharisticum mysterium,* del 25 de mayo de 1967, n.47: A.A.S. 59 (1967), p. 565.

95. Cf. *Ibidem,* n. 26: A.A.S. 59 (1967), p. 555; Instrucción *Musicam sacram,* del 5.03.1967, nn. 16, 27: A.A.S. 59 (1967), p. 305, 308.

96. Cf. Instrucción interdicasterial sobre algunas cuestiones acerca de la cooperación de los laicos en el ministerio de los sacerdotes, *Ecclesiae de mysterio,* del 15.08.1997, art. 6: A.A.S. 89 (1997), p. 869.

97. Cf. S. CONGREGACIÓN PARA LOS SACRAMENTOS Y EL CULTO DIVINO, Instrucción *Inaestimabile donum,* del 3 de abril de 1980, n. 10: A.A.S. 72 (1980), p. 336; Instrucción interdicasterial sobre algunas cuestiones acerca de la cooperación de los laicos en el ministerio de los sacerdotes, *Ecclesiae de mysterio,* del 15.08.1997, art. 8: A.A.S. 89 (1997), p. 871.

98. Cf. *Misal Romano,* Rito para designar un ministro ocasional para la distribución de la sagrada Comunión.

99. Cf. *Ceremonial de los Obispos,* nn. 1118-1121.

100. Cf. PABLO VI, Carta apostólica *Ministeria quaedam,* del 15 de agosto de 1972: A.A.S. 64 (1972), p. 532.

101. Cf. CONC. ECUM. VATICANO II, Constitución sobre la Sagrada Liturgia, *Sacrosanctum Concilium,* n. 57; *CIC,* can. 902.

102. Cf. S. CONGREGACIÓN DE RITOS, Instrucción *Eucharisticum mysterium,* del 25 de mayo de 1967, n.47: A.A.S. 59 (1967), p. 566.

103. Cf. *Ibidem,* 565.

104. Cf. BENEDICTO XV, Constitución Ap. *Incruentum altaris sacrificium,* del 10 de agosto de 1915: A.A.S. 7 (1915), pp. 401-404.

105. Cf. S. CONGREGACIÓN DE RITOS, Instrucción *Eucharisticum mysterium,* del 25 de mayo de 1967, n. 32: A.A.S. 59 (1967), p. 558.

106. Cf. CONC. ECUM. TRIDENTINO, Sesión XXI, del 16 de julio de 1562, Decreto sobre la Comunión eucarística, cap. 1-3: DS 1725-1729.

107. Cf. *Ibidem,* cap. 2: DS 1728.

108. Cf. CONC. ECUM. VATICANO II, Constitución sobre la Sagrada Liturgia, *Sacrosanctum Concilium,* nn. 122-124; Decreto sobre el ministerio y vida sacerdotal, *Presbyterorum ordinis,* n. 5; S. CONGREGACIÓN DE RITOS, Instrucción *Inter Oecumenici,* del 26 de septiembre de 1964, n. 90: A.A.S. 56 (1964), p. 897; Instrucción *Eucharisticum mysterium,* del 25 de mayo de 1967, n. 24: A.A.S. 59 (1967), p. 554; *CIC,* can. 932 § 1.

109. Cf. CONC. ECUM. VATICANO II, Constitución sobre la Sagrada Liturgia, *Sacrosanctum Concilium,* n. 123.

110. Cf. S. CONGREGACIÓN DE RITOS, Instrucción *Eucharisticum mysterium,* del 25 de mayo de 1967, n. 24: A.A.S. 59 (1967), p. 554.

111. Cf. CONC. ECUM. VATICANO II, Constitución sobre la Sagrada Liturgia, *Sacrosanctum Concilium,* nn. 123, 129; S. CONGREGACIÓN DE RITOS, Instrucción *Inter Oecumenici,* del 26 de septiembre de 1964, n. 13 c: A.A.S. 56 (1964), p. 880.

112. Cf. CONC. ECUM. VATICANO II, Constitución sobre la Sagrada Liturgia, *Sacrosanctum Concilium,* n. 123.

113. Cf. *Ibidem,* n. 126. S. CONGREGACIÓN DE RITOS, Instrucción *Inter Oecumenici,* del 26 de septiembre de 1964. n. 91: A.A.S. 56 (1964), p. 898.

114. S. CONGREGACIÓN DE RITOS, Instrucción *Inter Oecumenici,* del 26 de septiembre de 1964, nn. 97–98: A.A.S. 56 (1964), p. 899.

115. Cf. *Ibidem,* n 91: A.A.S. 56 (1964), p. 898.

116. Cf. *Ibidem.*

117. S. CONGREGACIÓN DE RITOS, Instrucción *Inter Oecumenici,* del 26 de septiembre de 1964, n. 92: A.A.S. 56 (1964), p. 899.

118. Cf. RITUALE ROMANUM, *De Benedictionibus,* editio typica 1984, Ordo benedictionis occasione data auspicandi novum ambonem, nn. 900–918.

119. S. CONGREGACIÓN DE RITOS, Instrucción *Inter Oecumenici,* del 26 de septiembre de 1964, n. 92: A.A.S. 56 (1964), p. 898.

120. Cf. RITUALE ROMANUM, *De Benedictionibus,* editio typica 1984, Ordo benedictionis occasione data auspicandi novam cathedram seu sedem praesidentiae, nn. 880–899.

121. S. CONGREGACIÓN DE RITOS, Instrucción *Inter Oecumenici,* del 26 de septiembre de 1964, n. 92: A.A.S. 56 (1964), p. 898.

122. Cf. CONC. ECUM. VATICANO II, Constitución sobre la Sagrada Liturgia, *Sacrosanctum Concilium,* n. 32.

123. Cf. SAGR. CONR. DE RITOS, Instrucción *Musicam sacram,* del 5 de marzo de 1967, n. 23: A.A.S. 59 (1967), p. 307.

124. Cf. RITUALE ROMANUM, *De Benedictionibus,* editio typica 1984, Ordo benedictionis organi, nn. 1052–1054.

125. Cf. S. CONGREGACIÓN DE RITOS, Instrucción *Eucharisticum mysterium,* del 25 de mayo de 1967, n. 54: A.A.S. 59 (1967), p. 568; Instrucción *Inter Oecumenici,* del 26 de septiembre de 1964, n. 95: A.A.S. 56 (1964), p. 898.

126. Cf. S. CONGREGACIÓN DE RITOS, Instrucción *Eucharisticum mysterium,* del 25 de mayo de 1967, n. 52: A.A.S. 59 (1967), p. 568; Instrucción *Inter Oecumenici,* del 26 de septiembre de 1964, n. 95: A.A.S. 56 (1964), p. 898; S. CONGREGACIÓN DE SACRAMENTOS, Instrucción *Nullo umquam tempore,* del 28 de mayo de 1938, n. 4: A.A.S. 30 (1938), pp. 199–200; RITUALE ROMANO, *De sacra Communione et de cultu mysterii eucharistici extra Missam,* editio typica 1973, nn. 10–11. *CIC,* can. 938 § 3.

127. Cf. RITUALE ROMANUM, *De Benedictionibus,* editio typica 1984, Ordo benedictionis occasione data auspicandi novum tabernaculum eucharisticum, nn. 919–929.

128. Cf. S. CONGREGACIÓN DE RITOS, Instrucción *Eucharisticum mysterium,* del 25 de mayo de 1967, n. 55: A.A.S. 59 (1967), p. 569.

129. *Ibidem*, n. 53: A.A.S. 59 (1967), p. 568; RITUALE ROMANUM, *De sacra Communione et de cultu mysterii eucharistici extra Missam*, editio typica 1973, n. 9; *CIC*, can. 938 § 2; JUAN PABLO II, Carta *Dominicae Cenae*, del 24 de febrero de 1980, n. 3: A.A.S. 72 (1980), pp. 117–119.

130. Cf. *CIC*, can. 940; S. CONGREGACIÓN DE RITOS, Instrucción *Eucharisticum mysterium*, del 25 de mayo de 1967, n. 57: A.A.S. 59 (1967), p. 569; RITUALE ROMANUM, *De sacra Communione et de cultu mysterii eucharistici extra Missam*, editio typica 1973, n. 11.

131. Cf. sobre todo S. CONGREGACIÓN DE SACRAMENTOS, Instrucción *Nullo umquam tempore*, del 28 de mayo de 1938, n. 4: A.A.S. 30 (1938), pp. 198–207; *CIC*, can. 934–944.

132. Cf. CONC. ECUM. VATICANO II, Constitución sobre la Sagrada Liturgia, *Sacrosanctum Concilium*, n. 8.

133. Cf. PONTIFICALE ROMANUM, *Ordo Dedicationis ecclesiae et altaris*, editio typica 1977, cap. IV, n. 10; RITUALE ROMANUM, *De Benedictionibus*, editio typica 1984, Ordo ad benedicendas imagines quae fidelium venerationi publicae exhibentur, nn. 984–1031.

134. Cf. CONC. ECUM. VATICANO II, Constitución sobre la Sagrada Liturgia, *Sacrosanctum Concilium*, n. 125.

135. Cf. CONC. ECUM. VATICANO II, Constitución sobre la Sagrada Liturgia, *Sacrosanctum Concilium*, n. 128.

136. Cf. PONTIFICALE ROMANUM, *Ordo Dedicationis ecclesiae et altaris*, editio typica 1977 Ordo benedictionis calicis et patenae; RITUALE ROMANUM, *De benedictionibus*, editio typica 1984, Ordo benedictionis rerum quae in liturgicis celebrationibus usurpantur, nn. 1068–1084.

137. Cf. RITUALE ROMANUM, *De Benedictionibus*, editio typica 1984, Ordo benedictionis rerum quae in liturgicis celebrationibus usurpantur, n. 1070.

138. Cf. CONC. ECUM. VATICANO II, Constitución sobre la Sagrada Liturgia, *Sacrosanctum Concilium*, n. 128.

139. Cf. *Ibidem*.

140. En cuanto a la bendición de los objetos destinados al uso litúrgico en los templos, Cf. RITUALE ROMANUM, *De Benedictionibus*, editio typica 1984, parte III.

141. Cf. CONC. ECUM. VATICANO II, Constitución sobre la Sagrada Liturgia, *Sacrosanctum Concilium*, n. 51.

142. MISSALE ROMANUM, *Ordo lectionum Missae*, editio typica altera 1981, Praenotanda, n. 80.

143. *Ibidem*, n. 81.

144. Cf. CONC. ECUM. VATICANO II, Constitución sobre la Sagrada Liturgia, *Sacrosanctum Concilium*, n. 61.

145. Cf. CONC. ECUM. VATICANO II, Constitución Dogmática sobre la Iglesia, *Lumen Gentium*, n. 54; PABLO VI, Exhort. Ap., *Marialis cultus*, del 2 de febrero de1974, n. 9: A.A.S. 66 (1974), pp. 122–123.

146. Cf. sobre todo *CIC*, cann. 1176–1185; RITUALE ROMANUM, *Ordo Exsequiarum*, editio typica 1969.

147. Cf. CONC. ECUM. VATICANO II, Constitución sobre la Sagrada Liturgia, *Sacrosanctum Concilium*, n. 14.

148. Cf. *Ibidem*, n. 41.

149. Cf. *CIC*, can 838 § 3.

150. Cf. *Ibidem*, n. 24.

151. Cf. *Ibidem*, n. 36 § 3.

152. Cf. *Ibidem*, n. 112.

153. *Normae Universales de Anno litúrgico et de Calendario*, nn. 48–51; cf. S. CONGREGACIÓN PARA EL CULTO DIVINO, Instrucción *Calendaria particularia*, del 24 de junio de 1970, nn. 4, 8: A.A.S. 62 (1970), pp. 652–653.

154. Cf. CONC. ECUM. VATICANO II, Constitución sobre la Sagrada Liturgia, *Sacrosanctum Concilium*, n. 106.

155. *Normae Universales de Anno liturgico et de Calendario*, n. 46; cf. S. CONGREGACIÓN PARA EL CULTO DIVINO, Instrucción *Calendaria particularia*, del 24 de junio de 1970, n. 38: A.A.S. 62 (1970), p. 660.

156. Cf. CONC. ECUM. VATICANO II, Constitución sobre la Sagrada Liturgia, *Sacrosanctum Concilium*, nn. 37–40.

157. CONGREGACIÓN PARA EL CULTO DIVINO Y LA DISCIPLINA DE LOS SACRAMENTOS, Instrucción *Varietates legitimae*, del 25 de enero de 1994, nn. 54, 62–69: A.A.S. 87 (1995), pp. 308–309, 311–313.

158. *Ibidem*, nn. 66–68: A.A.S. 87 (1995), p. 313.

159. *Ibidem*, nn. 26.27: A.A.S. 87 (1995), pp. 289–299.

160. Cf. JUAN PABLO II, Carta Apostólica *Vicesimus quintus annus*, del 4 de diciembre de 1989, n. 16: A.A.S. 82 (1990), p. 912; cf. CONGREGACIÓN PARA EL CULTO DIVINO Y LA DISCIPLINA DE LOS SACRAMENTOS, Instrucción *Varietates legitimae*, del 25 de enero de 1994, nn. 2, 36: A.A.S. 87 (1995), pp. 288, 302.

161. Cf. CONC. ECUM. VATICANO II, Constitución sobre la Sagrada Liturgia, *Sacrosanctum Concilium*, n. 23.

162. Cf. CONGREGACIÓN PARA EL CULTO DIVINO Y LA DISCIPLINA DE LOS SACRAMENTOS, Instrucción *Varietates legitimae*, del 25 de enero del1994, n. 46: A.A.S. 87 (1995), p. 306.

163. Cf. *Ibidem*, n. 36: A.A.S. 87 (1995), p. 302.

164. Cf. *Ibidem*, n. 54: A.A.S. 87 (1995), p. 308–309.

165. Cf. CONC. ECUM. VATICANO II, Constitución sobre la Sagrada Liturgia, *Sacrosanctum Concilium*, n. 38; PABLO VI, Constitución Ap. *Missale Romanun.*